Mardulce Editora
Isidoro de la Arca 4322, Ciudad Autónoma de Buenos Aires

www.mardulceeditora.com.ar

MARDULCE

Almada, Selva
    Ladrilleros. - 1a ed. 1a reimp. - Buenos Aires: Mardulce, 2013.
    240 p.; 19x13 cm.
    ISBN 978-987-29054-0-8
    1. Narrativa Argentina. 2. Novela. I. Título
    CDD A863

© 2013   Selva Almada
          c/o Agencia Literaria CBQ SL
          info@agencialiterariacbq.com
© 2013   Mardulce
          Bulnes 978 1°
          C1176ABR Buenos Aires
          Argentina
          www.mardulceeditora.com.ar

Fotografía de cubierta: Guillermo Valdez
Diseño de colección y cubierta: trineo.com.ar
ISBN: 978-987-29054-0-8

SELVA ALMADA

Ladrilleros

ficción

Para Lolo Bertone, ladrillero,
hermoso espíritu libre.

La vuelta al mundo quedó vacía, sin embargo las sillas siguen balanceándose despacito. Será el aire del amanecer.

A Pájaro Tamai, echado en el suelo, boca arriba, le parece que la rueda gigante sigue moviéndose. Pero no puede ser porque música no se oye. No escucha nada: tiene la cabeza llena de ruido blanco. Blanco como el cielo –nunca lo ha visto así– contra el que se recorta un fragmento de la máquina, un pedacito, desenfocado, que es todo lo que la vista puede abarcar.

Achina los ojos a ver si así deja de girar. Es peor: se marea y ya no se mueve solo la vuelta al mundo sino todo el mundo.

Se marea como hace un rato cuando estaba montado en el juego. Él y Cardozo treparon a las sillas dobles con un porrón recién abierto en la mano, chorreando espuma por el agite. Antes de bajar la barra de hierro que los mantendría seguros en las sillas, el tipo que manejaba la máquina quiso hacerlos dejar la cerveza y se le rieron en la cara. El tipo se encogió de hombros y no insistió. Tenía que decirlo para cumplir con el reglamento del parque, pero por él que se mataran tapes de mierda.

La primera vuelta fue a los barquinazos. Fueron subiendo despacio mientras se ocupaba el resto de las sillas. Cuando quedaron arriba, Cardozo se puso a escupir a los de abajo, que se dieron vuelta para putearlo. Pajarito se rió y tomó un trago y miró hacia el pueblo: las luces, tupidas en las cuadras del centro, se iban desperdigando hacia las afueras; sobre La Cruceña, su barrio, solo un puñadito.

Entonces la rueda tomó velocidad y empezaron a dar vueltas a lo loco. Gritaron unos sapucai y siguieron chupando del pico. Cardozo gritaba y sacudía la cabeza como un perro mojado. En la tercera vuelta se desabrochó la bragueta y empezó a mear, meneando la verga y bautizando a los de abajo. A Pájaro le dolían las costillas de tanto reírse. Se sentía drogado, feliz y poderoso.

Ahora, acá abajo, el zumbido en la cabeza y el cielo tan blanco que duele mirarlo. Pura luz enceguecedora como en las películas de ciencia ficción que iban a ver con los changos a la matiné del cine Cervantes. Está cansado. Mucha fiesta, piensa. Calavera no chilla, se anima.

Quiere cerrar los ojos a ver si se calma el mareo. Empieza a entornar los párpados y, de repente, comprende y los abre todo lo que puede, hace una fuerza sobrehumana para mantenerlos abiertos porque le cayó la ficha y se da cuenta de que se está muriendo.

Puro olor a podrido el que le entra por la nariz. Marciano Miranda está echado boca abajo, con un solo ojo abierto. Tiene la cara metida en el charco pantanoso en que se ha convertido el suelo tras varios días de feria. El pasto quemado por las pisadas, las meadas, los vómitos. Siempre es así cuando viene un parque de diversiones o un circo. Un circo peor: cuando levantan las jaulas, los yuyos quedan negros hasta la raíz por el peso y el calor de los animales. Al descampado municipal le lleva meses reponerse y cuando empieza a ponerse lindo de nuevo, se instala otro feriante. A nadie le importa, en realidad. Cuando está vacío, al predio solo lo usan las parejas para ir a culear. La verdadera diversión es cuando está ocupado, cuando se llena de bombitas de colores y música y forasteros.

Si Marciano se fija en eso ahora es porque le toca tener la jeta metida en ese barro inmundo, que si no.

Levanta el ojo a ver si puede pispear algo más que los manchones oscuros del suelo. Pero se le cansa el ojo y vuelve a clavarse sobre las hojitas chamuscadas del piso.

Y yo con los pantalones blancos, piensa.

Parecés un bombón de telenovela, le dijo Angelito cuando se vistió en la casa, antes de salir de juerga. Impecables, recién sacados de la tienda, ajustados, marcándole la hombría, la camisa metida adentro.

Marciano se miró en el espejo del ropero y en la luna lo vio al hermano, Angelito, echado sobre la cama como un gato fino, en slip, abanicándose con una revista. Tuvo ganas de darse vuelta y cruzarle el lomo con el cinto que todavía tenía en la mano, pero se contuvo. No quería una pelotera con la mamá antes de salir, le arruinaría la noche.

Ya se iba a encargar de sacarle las mañas al Ángel. Capaz que esa misma noche si la suerte lo acompañaba. Muerto el perro se acabó la rabia, y él sabe bien que el Pájaro Tamai es el perro que lo tiene envenenado a su hermano. Después, borrón y cuenta nueva. Si hacía falta, lo iba a obligar a mascar conchas todo el día hasta que se le fuera el berretín de chupar pijas.

Pero igual le amagó un revés desde el espejo. No le gustaba que le hablara así. Él era el hermano mayor y merecía respeto. Este culo roto no le podía hablar como si estuviesen entre mariconas.

Ahora igual no le importa. Ahí, echado en el barro, está cansado y tiene frío. Será el rocío del amanecer.

–¡¿Dónde se metió el Pajarito?!

El vozarrón del padre recién levantado paralizaba a los hermanitos Tamai, una escalerita que iba entre los dos y los siete años. Siempre que se levantaba a inspeccionar la pieza de los críos, le faltaba uno, Pajarito, de seis años, el segundo de los hijos pero el mayor de los varones, el único que desobedecía la prohibición paterna de andar fuera de la casa durante la siesta.

Tamai era severo y no le temblaba la mano a la hora de hacer cumplir su voluntad. La lealtad de los hermanitos era frágil y no hacía falta más que otro grito para quebrarla. En realidad, el silencio inicial que podía tomarse como un gesto de complicidad para con el fugitivo, no era sino el abombamiento por el calor y el encierro. Ninguno iba a poner el pellejo para salvar al rebelde; después de todo, mientras el otro andaba por ahí divirtiéndose de lo lindo, ellos tenían que quedarse flotando en el limbo tufiento de la pieza.

–Se ha ido para el canal –y señalaban la ventana por donde Pajarito había levantado vuelo apenas el padre se tumbara en el sueño.

Tamai se ponía el pantalón y la camisa, agarraba la bicicleta y el rebenque y salía de redada. La mayoría de las veces, cuando llegaba, encontraba a todos los changos de la zona zambulléndose en las aguas roñosas del canal o pescando con hilo, a todos menos al suyo. Pajarito ya había partido a campo traviesa, apenas sonara la alarma de su reloj biológico que le indicaba que el padre debía estar levantándose. Alguna vez llegaba antes y le atinaba un par de fustazos al lomo desnudo y mojado. Lo obligaba a ir corriendo delante de la bicicleta, como si él fuera el hacendado y el hijo, el torito que se sale del redil.

A esas raras ocasiones en que lograba atraparlo, Tamai las gozaba en grande. Por supuesto, en la casa, podía darle cuantas palizas quisiera al Pajarito; pero llevarlo al trote, haciendo silbar la punta del chicote sobre su coronilla, expuesto a la vista de todos, la humillación pública del chico y su propia reafirmación como cabeza de familia frente a los vecinos, mortificaba a uno y regocijaba al otro con la misma intensidad.

Así la relación entre padre e hijo desde que Pajarito pudo pararse en sus dos pies. Tal vez se parecían demasiado y la casa quedaba chica para dos como ellos. En vez de estar orgulloso de su retoño de pura cepa, Tamai se sentía celoso y lleno de rabia. No solo no le hacía caso nunca, sino que la madre siempre sacaba la cara por él.

A medida que el hijo fue creciendo, la distancia se hizo más profunda.

Una nochecita de verano, Pajarito tendría doce años, el padre estaba tomando vino en el patio y se terminó la damajuana. Lo llamó y lo mandó al pueblo a buscar otra. El chango, recién bañado, estaba listo para irse al centro a jugar a las maquinitas con los amigos. Le dijo: andá vos si querés seguir chupando. Tamai, que ya tenía unas cuantas copas de más, agarró el rebenque que siempre tenía a mano y le tiró un chicotazo. Él levantó el brazo y el chicote lo rodeó como una víbora finita, tiró con fuerza y el mango de lonja trenzada le quemó la palma a Tamai. En el minuto que le llevó reaccionar y ponerse de pie, Pajarito desenroscó tranquilamente el chicote y lo agarró por el mango.

–Yo no soy mencho de nadie –dijo y se lo tiró por las patas. Después dio media vuelta, montó la bicicleta y salió parado en los pedales.

Marciano se había obligado a no llorar frente al cajón de su padre.

El mes entrante cumpliría doce años, pero ya había fumado sus primeros cigarrillos y le había chupado las tetas a la hermana de un amigo, una changuita de catorce, corpachona y alentadita. Ella no lo había dejado ir más allá, aunque había alcanzado a meterle la mano en

15

el calzón y había acariciado el pubis peludo, caliente y blando como un nido.

–Cuando cumplás doce volvé por el resto –le dijo guardándose las tetas bajo la blusa y apartándolo con un empujón suave.

Desde entonces, Marciano tachaba los días en el almanaque y el mismo día de su santo iba a volver a reclamar lo prometido. En la misma fecha de su nacimiento, doce años después, iba a convertirse en un hombre de verdad.

Pero no podía permitirse llorar a su padre. A su padre se lo habían matado y él, el mayor de los hijos, tendría que vengarlo.

Esa madrugada lo despertó el sonido de un auto estacionándose frente a la casa. Se levantó y espió por la ventana y vio el patrullero. No era raro que la policía viniera a esas horas. Miranda solía emborracharse y armar lío en los bares y la policía se lo llevaba. A veces lo dejaban durmiendo en la comisaría y a veces lo devolvían con su familia.

Vio bajar solo a los dos canas. Uno, que estaba fumando, se recostó en la puerta del coche y terminó el cigarrillo despacio. Marciano veía la brasita roja intensificarse y debilitarse con cada pitada.

Finalmente se pusieron en marcha y pasados un par de minutos que a él se le hicieron eternos, escuchó los golpecitos en la puerta. Eran toques suaves, como si no quisieran ser oídos. Sintió su corazón latiendo como un redoblante. Puso un pie en el pasillo justo cuando su madre salía de su dormitorio arrastrando las chancletas, vestida con el camisón descolorido que se habría comprado para el último de los partos.

–¿Sentiste que golpearon? –preguntó con la boca pastosa.

Él no dijo nada y la siguió hasta el comedor.

Estela Miranda abrió la puerta de calle y encontró a los policías. Rebolledo, el que acababa de apagar un cigarrillo, había encendido otro. Mamani, su compañero, tenía la cabeza gacha y ni siquiera respondió el saludo de la mujer.

–Estela, tu marido –titubeó el fumador.

–¿Qué hizo ahora?

–Qué le hicieron, decí mejor.

Marciano debe hacer un esfuerzo titánico para darse vuelta. Quiere sacar la cara del barro y ponerla más cerca del aire fresco del amanecer a ver si así consigue meter un poco de ese aire, nuevo, recién nacido, adentro suyo. El tiempo es oro, dicen; pero el que le queda ni eso, su tiempo son las últimas monedas en el fondo de un bolsillo.

Vamos, chamigo, vamos, piensa.

Se acuerda de su padre, como si lo viera, alentando al Dago, el galgo campeón, en las carreras de perros. Marciano no tenía más de cuatro años y Miranda lo llevaba con él a todas partes: a los bares, a las partidas de mus y a las carreras de galgos, pese a las protestas de la madre.

–Déjamelo acá al nene, andate vos solo, Miranda, dejá a la criatura tranquila.

Pero Miranda lo agarraba y lo subía al caño de la bicicleta y se lo llevaba igual. Marciano era feliz con su padre. Se agarraba fuerte del manubrio con las dos manitos y sentía en la cara el aire caliente de la noche, el olor de los Jockey que el viejo iba fumando en el trayecto, el pucho colgado en la comisura de la boca; cuando agarraban velocidad parecía una locomotora. Y el olor a la colonia para después de afeitar. Ese era el olor de los varones.

¡Vamos, vamos Daguito viejo y peludo! Y Miranda doblaba medio cuerpo sobre la pista, gritándole al perro atigrado que se perdía entre la polvareda atrás de la liebre mecánica.

Vamos, chango, vos podés; se anima Marciano, pero vuelve a despatarrarse en el barro.

Al Dago lo atropelló un auto. Andaba vagando en la calle atrás de una perra. Miranda era así de displicente con todo, aun con lo que le daba algún dinero, como los galgos de carrera. Se le cortaron los tendones de la mano derecha. Miranda lo curó, pero no hubo caso: el animal andaba arrastrando la pata que se le lastimaba y se le llenaba de bichera. Alguien le aconsejó que se la amputara. Pero él dijo que no era destino para un campeón quedar lisiado, así que decidió sacrificarlo.

Una tarde lo llevó a Marciano al fondo de la casa, donde había un viejo algarrobo. Tentó una rama con su propio peso. Pasó una cuerda. Llamó al perro con alguna zalamería. Le dio unas palmaditas en las ancas y le acarició la cabeza y despacito le pasó la soga por el cogote, la ajustó y empezó a tirar con todas sus fuerzas de la punta de la cuerda. El perro gimió y pataleó en el aire con las tres patas sanas, y la pata inútil flameando como un trapo. Y ahí quedó, con los ojos amarillos fijos en la copa del árbol.

Marciano sintió un picor en la vista y se agarró la punta del pito porque sentía que iba a mearse encima. Su padre bajó al perro con cuidado y cuando estuvo en el suelo se puso en cuclillas y empezó a pasarle la mano todo a lo largo del cuerpo.

Un vecino que había visto la escena desde su patio, se acercó al tejido que separaba los terrenos.

—Si será bruto, Miranda, le hubiese pegado un tiro.

Su padre torció la cabeza para mirarlo sin dejar de acariciar al perro. A Marciano le pareció que le brillaban los ojos.

—Métase en sus cosas o el tiro se lo voy a pegar a usted —dijo y volvió a inclinarse sobre el animal.

—¡Vamos, vamos, changuito viejo y peludo, vamos que usted puede! ¡Vamos, mi hijito!

Marciano levanta la cabeza lo poco que puede. A menos de un metro lo ve a su padre, agachado, con el Jockey ardiendo entre los labios. El olor varonil llena la mañana apenas estrenada.

—Sos vos, papá.

Dice, aunque no puede articular palabra, lo que dice lo dice adentro de su cabeza.

—Sos vos, papá. Viniste a buscarme.

Dice, en ese decir silencioso.

–Mi hijo es un campeón.

Escucha decir a su padre y lo ve agitar los puños como si apretara las boletas de una apuesta.

–No puedo, papá. No puedo.

Pajarito siente algo tibio en la boca. Tibio y suave como la carne de un mamón arrancado directamente del árbol de un vecino. Aunque los árboles de su casa se doblaran con el peso de las frutas, siempre sabe mejor la fruta ajena. Meterse en los patios a afanar mamones. Mantener a raya a los cuzcos garroneros y colgarse del árbol e ir tirando el botín al compinche que espera del otro lado del cerco.

–Abarajala, puto.

Reírse con la boca llena, fuerte y alto hasta que el vecino se asome, desgreñado, con restos de siesta en la jeta.

–Te voy a cagar a tiros, cursiento.

Reírse de nuevo y descolgarse dando un saltito.

–Qué vá á. Qué vá á, viejo mamón. Mamamela, á.

Y salir despacio como Pancho por su casa mientras el otro intenta correr y abrocharse los pantalones y amenazarlo con un puño, todo junto.

Seguir riéndose en el medio de la calle con el compañero. Y si el dueño de los mamones insiste en buscar roña y llega a la vereda, tirarle los frutos por la cara.

–Tomá, pijotero, ahí tenés tus mamones, tomá, eh.

Cómo es la cabeza, mirá en las cosas que uno piensa, de lo que se acuerda uno. Sonríe.

Con la punta de la lengua se toca el labio reseco.

Tibio y suave y dulce como.

Si alguien se lo hubiera dicho, insinuado ni que sea, primero lo hubiese escupido y después lo hubiese molido a palos. Sin embargo. Era como tener un animalito vivo adentro de la boca.

–Despacio, Pájaro. Tomala toda. Así, despacito, guarda con los dientes. Así, nene, así.

Los Tamai se habían casado jovencitos y con familia en camino. Antes de decirle que sí al cura, Celina le había dicho que sí a su novio, a la urgencia de sus besos que le dejaban el cuello y los hombros llenos de pequeños moretones. Que era como decirle, también, que no a su padre, que se oponía a la relación.

La primera vez había sido incómoda y dolorosa, lejos de los relatos de Corín Tellado que alimentaban sus fantasías de adolescente. Lo habían hecho en el medio de un baile, en la pista del Húngaro. Cuando el disc jockey dejó de pasar las canciones de moda para poner milongas y chamamés que espabilaran a las parejas mayores y a las madres y tías viejas en plan de chaperonas, y antes de que llegara el grupo en vivo.

Tamai la agarró a Celina de un brazo y se la llevó afuera del salón. Salieron a la noche calurosa y pasaron entre los coches estacionados. Por el rabillo del ojo, ella vio brazos y piernas que se debatían en el interior de algunos autos, borrosos detrás de los vidrios empañados: muchachas privilegiadas que al menos tenían un cubículo privado adonde entregarse.

Llegaron a un grupito de árboles y Tamai la apoyó contra el tronco de uno. Sintió la corteza áspera raspándole la espalda que el solero le dejaba desnuda. En un puño mantuvo agarrada la bombacha y al otro se lo mordió para no gritar cuando lo tuvo todo adentro al novio.

Cuando terminó, se arregló la ropa, aturdida. Él, jadeando, se recostó contra el árbol y prendió un cigarrillo, luego la atrajo con un brazo y le besó la frente.

–De parados no preña –le susurró.

Estela Miranda se despertó de madrugada. Antes estaba soñando con el carnaval. Estaban a fines de diciembre y, esa noche, había estado bordando los trajes de la comparsa Ara Sunú hasta muy tarde. En el sueño y pese a la preñez era nuevamente la reina. Venía bailando en la carroza sobre tacos altísimos, vistiendo corpiño y pollerita, la capa de lamé dorado y la corona sobre la melena corta. Tenía todo el cuerpo y la panza cubiertos de brillantina. Desde la altura del acoplado convertido en carro real, vio a un grupo de mocosos acercarse con las manos llenas de bombitas de agua. Contra las reglas del carnaval –no mojar a la reina–, los chicos le apuntaron con sus granadas líquidas y los globitos multicolores impactaron contra ella, empapándola de la cabeza a los pies.

Lejos de enojarse, Estela, que había sido la reina de Ara Sunú varios carnavales seguidos y sabía llevar airosa su papel de soberana, sonrió y los amenazó disimuladamente con el cetro, sin dejar de mover las caderas al ritmo de la batucada.

Cuando se despertó y se sentó en la cama, tenía todavía la sonrisa en la boca, esa sonrisa que había sido fotografiada por todos los diarios de la región. Encendió el velador y cuando apartó las sábanas volaron unas lentejuelas que habría arrastrado hasta la cama de sus horas de bordado. Había roto bolsa y, de su lado, el colchón estaba hecho sopa. El otro lado de la cama estaba seco y vacío. Miranda jugaba al mus, como todas las noches, en el bar Imperio.

Sintió que el corazón le latía con más fuerza. Pero no era miedo, sino alegría. Sabía perfectamente lo que tenía que hacer: vestirse, agarrar el bolsito que tenía preparado desde hacía unas semanas, dejarle una esquelita al marido, caminar dos cuadras hasta lo de una vecina con teléfono –ya estaba avisada, ya sabía que Estela podía golpearle la puerta a cualquier hora para que le pidiera un taxi–, y llevar también una toalla en la mano para ponerla en el asiento del auto y no ensuciar el tapizado. En el monedero tenía separado el dinero para el viaje.

Así se hizo todo, tal como lo había planeado. Sin perder la sonrisa de reina del carnaval, aguantó los primeros dolores que vinieron justo mientras esperaba el coche en lo de la vecina. La mujer se ofreció a acompañarla al hospital, pero Estela le dijo que no, que volviera a la cama, que ya había hecho suficiente.

Estela Miranda sabía que, aunque los hijos se hacen de a dos, una siempre está sola para traerlos al mundo.

Oscar Tamai había llegado al pueblo para trabajar en la cosecha de algodón. Si alguien lo hubiese visto bajar del vagón junto a los cientos de cosecheros que llegaban a diario, lo habría distinguido del resto. Oscar Tamai llamaba la atención. Entonces era un muchacho apuesto, de estatura mediana, ojos aindiados y un bigote negro que le bajaba por la comisura de la boca. Usaba sombrero y botas tejanas. Parecía un pistolero salido de la revista D'Artagnan. Pero no habría llamado la atención tanto por su apostura como por su insolencia. Su manera de pararse, de moverse, de mirar torciendo ligeramente la cabeza y achicando aún más los ojos hasta que parecían dos rendijas, dos puñaladas en una lata, lo diferenciaban de los demás peones golondrina, hombres gastados por el trabajo bruto y la pobreza, en su mayoría indios, callados y vergonzosos.

Durante el tiempo libre paraba igual que los otros cosecheros en la fonda frente a la estación de trenes. Era el lugar adonde los algodoneros iban a buscar peones para arriarlos a sus campos.

La fonda era un negocio familiar regenteado por un catalán viudo y sus tres hijas. Dos casi treintañeras y la más chica, Celina, de apenas dieciséis. Las mayores generalmente se ocupaban de la cocina y el viejo y Celina se encargaban del despacho y la caja.

La primera vez que Oscar Tamai pisó la fonda, Celina secaba unos vasos atrás del mostrador. Fue verlo entrar al salón en penumbras, las aspas del ventilador de techo girando morosamente, la luz del atardecer que entraba por la puerta dándole de atrás, dibujando los contornos del sombrero, los ojos amarillos acomodándose a la sombra del interior, y sentir que el corazón se le paraba adentro del pecho.

Fue apenas un instante porque cuando el hombre empezó a caminar hacia ella, haciendo sonar los tacos de sus botas sobre los mosaicos del piso, empezó a latir desaforado. Tamtam las botas; tamtamtam, su corazón.

Celina empezaba a pensar que le aguardaba el mismo destino que a sus hermanas, se veía poniéndose amarilla en el aire viciado de la fonda, encorvada bajo la sombra todopoderosa del padre, para quien el único hombre merecedor de sus hijas era él. A las otras dos les había espantado todos los candidatos, hasta que las muchachas se habían resignado a dejar de buscar. Ellas también se habían convencido de que no había ningún hombre lo suficientemente bueno para ellas.

Aunque se había prometido no terminar igual que las mayores, a veces perdía las esperanzas. ¿Cómo iba a conseguir un hombre si se pasaba los días y las noches entre indios borrachos?

Tamai la saludó tocándose el ala del sombrero y le pidió una cerveza. En vez de ir a sentarse se quedó acodado en el mostrador esperando la bebida. A ella le temblaron las manos cuando le alcanzó la botella y el vaso. Él pagó, agradeció y se fue a ocupar una mesa cerca de la ventana.

A esa hora no había casi nadie. Oscar Tamai giró la silla en dirección a la barra y estiró las piernas poniendo un pie sobre el otro, un dedo enganchado en la hebilla del cinturón y el resto de la mano descansando sobre el bulto, la otra mano repartida entre el cigarrillo y el vaso, el sombrero echado un poco sobre la frente. Celina no podía verle los ojos, pero sentía la mirada del hombre, buscándola como los puñales de un lanzador de cuchillos.

Supo enseguida que el forastero era el hombre que estaba esperando. Supo también que el padre pondría el grito en el cielo.

Ese día, él terminó la cerveza y se fue. Volvió los días siguientes aunque ya no se acercó al mostrador sino que ocupó la mesa de siempre y esperó a que ella le trajera el pedido. Empezó rozándole los dedos cuando le alcanzaba la plata, la mano o el brazo cuando acomodaba la botella sobre la mesa. Hasta que ella se inclinó lo suficiente para que él le rozara un pecho, el pezón desnudo bajo el vestido.

Pajarito tose y eso tibio y suave y dulce se le sale de la boca. Se pasa la mano y levanta la palma sobre su cara, la acerca, la aleja, trata de enfocar. Contra el cielo blanco, la palma toda roja.

Los ojos se le llenan de lágrimas y dos hilos de agua le caen de los rabillos, siente que le corren hasta atrás de las orejas. Deja caer el brazo, descansa la palma en el barro. A la otra mano la tiene, desde que cayó, metida debajo de la cintura del vaquero. No necesita mirar para saber que de ahí también sale sangre. Tiene los dedos pegajosos.

Cuando Marciano le sacó la sevillana de adentro, pese al griterío de la gente, a las corridas y a los tiros que los amigos de los dos empezaron a disparar, pese a todo ese barullo y a la música que seguía sonando, Pajarito pudo escuchar bien claro el ffffshshshhhhh que le salió del agujero, como si su panza fuera un globo desinflándose.

El otro no debía estar mejor. Llegó a atinarle un par de puntazos. Si estuviese mejor, habría vuelto para rematarlo. O ya estaba muerto, o estaba en eso igual que él.

¿Y los compinches? ¿Y Cardozo, Nango y Josecito? ¿Adónde se habían ido todos? ¿Por qué no llegaba la policía, la ambulancia?

Entrecierra los ojos y empieza a sonar una musiquita. Una cumbia querendona que va llenando el boliche. Todos salieron a bailar y a levantarse algo para pinchar más tarde. Él no. No está de humor. Se queda solo sentado arriba de una mesa chupando un porrón, mirando el baile desde afuera. Igual las hembras andan revoloteando. Ve a la Rosana, la Vero y la prima de la Vero bailando entre ellas y haciéndole ojitos. Enseguida se suma la otra a la que los changos le dicen vieja de agua porque lo único que se le puede comer es la cola. Es fulera la gringa, pero tiene un culo grande y redondo como la luna llena. Y, como haciéndole honor al apodo, es la única de las cuatro que se deja comer el upite.

Como si supiera que lo único que vende es su culo, la gringa baila dándole siempre la espalda. La minifalda blanca le aprieta los cantos y donde se le termina la raya se le marca el triangulito de la tanga. El Pájaro se ríe solo. Quién te dice más tarde se le abra el apetito.

Toma un trago. Se le calentó el porrón, así que escupe y lo deja y va a la barra a buscarse otro. Se abre paso entre la gente, empuja con el hombro los cuerpos mojados.

–Eu, gato, dame un porrón bien frapé... el de recién parecía meo.

–Y qué querés, chamigo, con la calor que hace. Yo lo saco frío, se calienta en el ambiente.

–Se, se, se... conversame que soy del monte.

Agarra la botella, paga y sale. Afuera por lo menos corre un aire tibio.

La música se va apagando de a poco, se va alejando como si todo sucediera en otra parte. El aire de tibio se vuelve frío y él está de nuevo tirado en el pasto, con las manos vacías, solo, sintiéndose resbalar en un pozo sin fondo.

–Papá ¿te fuiste? –articula Marciano adentro de su cabeza.

Adónde se ha ido su papá, por qué lo deja solo de nuevo. Tiene que incorporarse como sea, tiene que ponerse de pie y buscar a su padre ahora que ha vuelto. Conociéndolo, Miranda ha de estar despuntando el vicio en el tiro al blanco o en el juego ese de embocar las argollas. Con el parque vacío no va a parar hasta hacerse del premio mayor, el oso gigante de peluche, apelmazado y desteñido de tanto esperar que alguien acierte el tiro y se lo lleve. Aunque el premio da lo mismo, solo importa la emoción del juego.

Intenta sin resultado y cuando empieza a desesperar siente que lo toman suavemente de los hombros, que lo ayudan a girar sobre sí mismo, que lo ponen de espaldas al suelo. Parpadea varias veces. Primero ve el cielo todo blanco, enseguida se topa con el rostro sonriente de su padre.

–Volviste, papá.

Miranda está sentado en el piso y sostiene a su hijo sobre la falda, la cabeza de Marciano se apoya en una pierna de su padre. Se acomoda de tal modo que los dos puedan mirarse.

El padre todavía lleva puesto en el cuello el pañuelo de seda con que lo enterraron. Se desanuda el pañuelo y lo usa para limpiar el barro del rostro de su hijo. Marciano siente, ahora, las mejillas frescas, los ojos limpios. Puede mirar por primera vez la herida en la garganta. Es tal como se la había imaginado: ancha, de lado a lado, un costurón mal zurcido por los empleados de la funeraria. Como otra boca, más grande y risueña.

Estela le puso el pañuelo al cuello para privar a los curiosos del espectáculo del tajo. Sabía que apenas se supiera cómo había muerto Miranda, todos irían al velorio para verle la herida. Malicia de la gente que, de todos modos, inventaría cosas: que en algún momento el pañuelo se había corrido y habían alcanzado a ver clarito el degüello; que no era simplemente un tajo, sino un corte perfecto que le había separado la cabeza del cuerpo, que para velarlo y evitar que la cabeza se bamboleara suelta en el cajón, la habían prendido con grandes alfileres a la mortaja. Disparates así había tenido que escuchar Marciano todo el año que siguió al asesinato de su padre; por disparates así se había agarrado a piñas casi todos los días con casi todos sus compañeros de escuela.

–¿Te duele, papá?

Miranda larga una carcajada y echa la cabeza para atrás. Bajo la luz blanca Marciano ve, nítida, la costra reseca del tajo.

–A mí no me duele nada. El que está estropeado sos vos, mi hijo.

Marciano sonríe.

–¿Me das un cigarrillo?

Miranda lo mira sorprendido un instante. Enseguida sonríe y le guiña un ojo. Tiene la mirada chispeante.

–Si la mamá se entera se me arma flor de quilombo. Vos ya sabés cómo es ella.

Piensa un ratito, se encoge de hombros, saca un cigarrillo y lo prende.

–Ya tenés edad para fumar. Pero más vale no le digas nada que se va a poner mala conmigo.

Chupa él primero, una bocanada profunda y suelta el chorro espeso, y después le pone el cigarrillo en la boca. Marciano chupa y siente el mareo ligero del primer cigarrillo de la mañana.

Está fumando con su padre. Las cuentas pendientes se están saldando al fin y al cabo.

–¿Y cómo le vas a llamar? –preguntó la enfermera mientras la ayudaba a prender a la criatura de la teta.

–Marciano –dijo Estela, mirando la cara redonda de su hijo bajo el abundante cabello renegrido.

La enfermera se rió.

–Ese no es nombre para cristiano, hijita. Ponele Ángel, como el de la telenovela, que ahora se usa mucho y es tan lindo.

Estela sonrió. Se iba a llamar Marciano.

–¿Tenés marido?

Ella asintió.

–Bueno –dijo consultando su reloj pulsera–. Voy a tomar mate antes que llegue la Rosita. Le voy a dejar la higiene a ella. En esta época se les antoja a todas comprar bebé y no me dejan pegar el ojo en toda la noche.

La enfermera salió arrastrando sus zuecos blancos y Estela pudo, por fin, quedarse a solas con su hijito.

La luz del amanecer entraba por las ventanas de la sala común. Casi todas las camas, alrededor de veinte, estaban ocupadas. Los cuerpos de las parturientas formaban bultos blancos. Al lado de cada cama, una cunita de hierro despintado igual a la suya. Al lado de todas no: había dos que no tenían nada y Estela, que no podía ver a las mujeres, las adivinó despiertas, con los ojos clavados en el techo. Sus hijitos se habían muerto. Estela apretó más al suyo contra el pecho y después apartó la mantita y lo miró todo entero, le contó los deditos de las manos y de los pies.

Miranda apareció por el hospital a las dos de la tarde, en el horario de visita. Estaba recién bañado y afeitado y tenía ropa limpia. Le dio un beso a su mujer y se quedó parado al lado de la cama.

La sala empezaba a llenarse de gente. Algunos parecía que venían de pic-nic, traían mate y galletitas y desplegaban todo encima de la cama de la parturienta.

Estela señaló la cunita.

–Es tu hijo, Miranda. Agarralo.

Miranda cogoteó hacia la cuna. Estaba nervioso. Después dio la vuelta y se limpió las manos en los pantalones. Corrió la sabanita y tomó al chico.

–Apoyale la cabecita en el brazo.

Se rió.

–Parece un carayá, mirá todo el pelo que tiene.

Estela también sonrió y dio unas palmaditas en la cama indicándole al flamante padre que se sentara.

Su marido era un tarambana, pero Estela pensó que, en el fondo, sería un buen padre.

La enfermera tenía razón: en el registro civil no aceptaron que le pusieran Marciano. Miranda lo anotó con el nombre de su abuelo; un nombre solo para los papeles porque todos lo llamarían Marciano, como quería la madre.

Por poco Estela y Celina no se cruzaron en la sala de partos. Cuando Estela se iba con su hijo recién nacido a su casa, Celina entraba con los primeros dolores. Era su segundo hijo. Hacía un año y pico había nacido la primera. Ya estaba baqueana en esto de parir: unas contracciones un poco más fuertes que un dolor de barriga y el crío salía escupido de sus entrañas. Según la partera, las caderas anchas de la madre facilitaban el trabajo. Con este fue igual. Apenas le dio tiempo a la enfermera de rasurarla y ya estaba el niño berreando.

–¿Es un varón? –preguntó y cuando la partera le dijo que sí y se lo mostró, Celina se dejó caer sobre el sillón de parto, aliviada y feliz.

La había decepcionado que la primera fuese una hembrita. Tenía miedo de ser como su madre y parir solo mujeres. Siempre había querido un hermano varón y cuando estuvo lista para engendrar hijos, solo había deseado ser la mamá de uno.

El bebé era vivaracho. Agitaba todo el tiempo los bracitos y las piernas como si aleteara.

–Parece un pajarito –dijo Celina sonriendo. Y aunque tenía elegido el nombre desde el primer embarazo, empezó a llamarlo Pajarito.

Tamai también se puso contento de que hubiese salido macho. Adoraba a la nena, Sonia, pero quería un varón, una prolongación suya, de su apellido y de sus mañas. Ese día, cuando fue a conocer a su hijo y lo tuvo en los brazos, un pedazo de carne morena y movediza, no podía imaginar que se parecería tanto a él que terminarían detestándose. Tampoco que el changuito lo iba a desplazar completamente del corazón de su mujer.

Acollararse con Tamai le había valido a Celina el desprecio de su padre y sus hermanas. El viejo no le perdonaría nunca haberle entregado la virtud a un cosechero pata sucia y muerto de hambre, un medio indio de quien desconocía toda procedencia, encima con aires de gallito.

Las hermanas no le perdonarían nunca el gozo de tener a un hombre adentro suyo, encima suyo, tapándole todos los agujeros. ¿Por qué ella sí y nosotras no?, parecían decir con los ojos nublados de envidia, con los labios apretados y, por si acaso, también las piernas, no fuera que el yaci-yateré ese también las preñara a ellas con solo echarles el ojo.

Como Celina era menor de edad no pudieron casarse ante la ley, pero pasaron por la capillita de un cura que aceptó bendecir la unión siendo que venía un hijo en camino. Tamai no era creyente, pero acompañó la pantomima del casamiento para que ella se sintiera más tranquila.

Se fue de su casa con lo puesto: el viejo no la dejó sacar ni la ropa.

Celina ignoraba qué planes tenía Tamai para después de la cosecha. No sabía de su hombre ni de dónde venía ni hacia dónde iba. Lo que se dice hablar nunca habían hablado demasiado, como no fuera tonteras de novios. Pero a ella no le importó.

Después de aquella primera vez en la pista del Húngaro, confusa y rápida, siguieron practicando y Celina le agarró el gusto enseguida a esa manera violenta y desbocada de amar, de coger sin pausa, de enhorquetarse a las caderas de Tamai y pedir a gritos que la clavara una vez y otra vez.

Celina se había casado enamorada y el amor duró hasta que nació el varoncito. Y se dio cuenta esa misma tarde, en el horario de visitas, cuando vio al changuito en brazos de su marido. Instantáneamente se le humedecieron los ojos y miró a Tamai como si estuviesen despidiéndose, los dos en el andén, él a punto de subirse al tren en el que había llegado, a punto de alejarse para siempre.

Si en el pecho de Celina había cabido el hombre de metro setenta y ochenta kilos, ahora, en el mismo pecho, solo había lugar para ese puñadito de carne que agitaba los bracitos y las piernas como si aleteara, igual que un pajarito.

No se anima a preguntarle al padre cómo pasó. Nadie mejor que él para contarle con lujo de detalles, pero no se anima. Lo ve tan campante sosteniéndole la cabeza sobre la falda, acariciándole el pelo sucio de barro, sonriéndole mientras él entra y saca el humo blanco del pucho que se eleva confundiéndose con el cielo blanco.

Reconstruye por enésima vez la escena.

Los dos policías en la entrada, en el medio de la noche, la madre en camisón agarrándose con una mano del vano de la puerta, la otra alisándole los cabellos en un gesto de coquetería. Él, más atrás, en patas y en calzoncillos, el torso huesudo, un crío que está pegando el estirón y todavía no sabe manejar ese cuerpo sin proporciones claras.

La madre preguntando qué ha hecho el marido ahora para que ellos vengan a golpearle la puerta, un tono de reproche más hacia los canas que hacia el esposo. ¿Con qué necesidad venir hasta acá a estas horas? ¿Por qué no dejarlo dormir la mona en el calabozo como otras veces?

Entonces uno de los milicos diciendo que Miranda no ha hecho nada, que lo que está hecho se lo hicieron a él y no se puede cambiar. Que Elvio Miranda está muerto, que lo han matado. ¿Dijeron como a un perro o eso lo escuchó después, de la gente?

No puede ver la cara de la madre porque está de espaldas a él, pero ve que agacha la cabeza y se agarra el cuerpo con los brazos; no la oye llorar, pero ve que el camisón descolorido empieza a temblar acompañando los espasmos de la carne. El policía que tomó la palabra, mete un pie adentro de la casa, medio cuerpo y abraza a su madre. Ahí el tipo lo ve: changuito, qué hacés ahí; dice, y sin dejar de dar palmaditas en el hombro de la madre, da vuelta la cabeza para mirar hacia fuera y decirle al otro que se ha quedado en el porche: está una de las criaturas acá.

Pero cuando vuelve a mirar, no hay nadie. Marciano volvió a la cama, se tapó con las sábanas, hundió la cara en la almohada, porque está dormido, claro, está dormido y tiene una pesadilla horrible: la policía viene a decir que mataron a su padre. Cómo se va a reír mañana cuando le cuente, cuando el sol esté bien alto y estén los dos sentados en el patio, bajo la enramada: Marciano tomando su vaso de leche y Miranda su Gancia con hielo. Cómo se van a reír los dos.

—Gracias, mi hijito, me alargaste la vida; va a decirle el padre.

Poco tiempo después del nacimiento de Pajarito, Tamai recibió una oferta de trabajo. Entonces vivían en una piecita alquilada con baño compartido que a duras penas podían pagar.

Tamai hacía changas. En la época de cosecha, en los algodonales; el resto del año en lo que se presentara: carga y descarga de materiales de construcción, tendido de alambrados en el campo, poda de árboles en el pueblo, ayudante de albañil. Iba y venía de un trabajo a otro, sin interés en buscarse algo fijo. Cuando Celina le decía que se anotara en la municipalidad –siempre estaban tomando gente y ese sí era un trabajo seguro, para toda la vida–, él ponía excusas y, si ella insistía, terminaban peleando, Tamai diciendo que él nunca sería mencho del gobierno, que él estaba para otra cosa, que era un pájaro libre, y se iba dando un portazo a sacarse el enojo en algún bar.

Allí, los compañeros de turno lo apañaban. Mientras se invitaban copas, se aconsejaban cómo había que tratar a las mujeres para que se estén quietitas y en su sitio.

Celina había salido a trabajar apenas se juntó con

Tamai. Limpiaba casas y lavaba ropa para afuera. La mayoría de las veces la comida y las cuentas se pagaban con lo que ella hacía, porque lo que él ganaba se lo gastaba casi todo en sus noches de juerga.

A este trabajo, el único que tendría Tamai los años que duró el matrimonio, se lo consiguió ella.

El pariente de una amiga, ladrillero, se estaba mudando al sur donde, decían, había buen trabajo en las petroleras. Se iba dejando el horno de ladrillos en funcionamiento y una modesta casita en el mismo terreno: dos piezas, cocina y baño. Lo único que pedía era una pequeña renta para ayudar a su madre anciana. La amiga le dijo a Celina que la ladrillería andaba bien, que su pariente se las arreglaba trabajando él solo, que era una buena oportunidad. Se estaba construyendo mucho en la zona y todo el mundo compraba ladrillos. Con lo que daba el horno alcanzaba para el alquiler y quedaba un resto más que suficiente para vivir.

Celina se entusiasmó enseguida. Tal vez eso era lo que necesitaba su marido: un trabajo donde él fuera su propio patrón.

Tamai no sabía nada de hacer ladrillos, pero podía aprender: era un hombre despierto y, por lo que le dijo la amiga, fabricar ladrillos no era ninguna ciencia, ella misma podría ayudarlo y dejar, de una vez por todas, de fregar la mugre ajena.

Antes de hablar con él –lo conocía y sabía que era mejor llevarle todo resuelto– le dijo a su amiga que la acompañase a conversar con el ladrillero.

El horno estaba ubicado en el barrio de La Cruceña, el más antiguo del pueblo, levantado en los alrededores de la vieja planta extractora de tanino. Las casas, construidas en el 1900, estaban venidas abajo, pero en todas vivía gente. Caminaron por las calles de tierra donde jugaban chicos descalzos y perros; en los terrenos baldíos había caballos sueltos y corrales de chivos. No era el mejor barrio del pueblo, pero tampoco el peor.

El pariente salió a recibirlas cuando escuchó el ladrido de los perros. Estaba en short y en cuero, y cuando vio que la prima venía con otra mujer, volvió a entrar en la casa y salió con una camisa a medio abrochar.

El hombre vivía solo. Le dio la mano a Celina, una mano áspera y cuarteada por el trabajo. Se sentaron bajo la enramada, un techo de tallos grises y retorcidos con unas pocas hojas verdes que Celina reconoció como un clarín de guerra al que le faltaba agua y cuidado.

Mientras su amiga lo ponía al tanto al pariente de algunas cosas familiares, Celina miró a su alrededor. Todo se veía bastante desolado: el terreno lleno de grandes huecos de donde se sacaba la materia prima para hacer los ladrillos; la casa muchísimo más modesta de lo que había imaginado. Sin embargo, hizo alarde de su optimismo y pensó que lo único que hacía falta era un toque femenino: cortinas en las ventanas, una limpieza a fondo, y plantas, muchas plantas que le sacaran al sitio esa apariencia lunar y desértica.

Por fin su amiga le habló al pariente del motivo de la visita y de la presencia de Celina. El hombre, que era callado, asintió varias veces y explicó que por el momento no le interesaba vender la propiedad, por lo menos hasta no estar seguro de su trabajo en el sur, pero que tampoco quería dejarla sola porque tenía miedo de que se le metiera gente. Hablaron del precio del alquiler y Celina, hija de comerciante, regateó un rato hasta que el hombre accedió a bajarlo según sus pretensiones.

Se despidieron con otro apretón de manos y ella prometió volver con Tamai para que el hombre le enseñara el oficio.

Estaba contenta. Pajarito, además de ser la luz de sus ojos, había venido al mundo con un pan abajo del brazo.

Elvio Miranda venía de una familia de ladrilleros. Su abuelo había sido uno de los primeros en el oficio y se ufanaba porque buena parte del pueblo estaba levantada con sus ladrillos. Decía que hasta la chimenea de La Cruceña, de más de cuarenta metros de altura, había sido construida con ladrillos de su fabricación. El viejo Miranda había amasado una pequeña fortuna que el padre de Elvio se encargó de malgastar. Él heredó los restos de una de las cinco ladrillerías que la familia llegó a poseer y los vicios del padre.

A Elvio Miranda le gustaba su oficio, pero, por encima de todas las cosas, le gustaba el juego.

Estela lo conoció así: timbero, simpático y vagoneta. Ella, la reina de los carnavales, la que podía tener al hombre que se le antojara, lo eligió a él. Su madrina, la Señora Nena, la mujer que la había criado, se agarró la cabeza cuando Estela le contó de quién estaba enamorada. Pero la Señora Nena, que hacía dos décadas había bajado de Brasil para instalarse en ese páramo norteño y que, decían las malas lenguas, tenía un pasado lúbrico (¡Pasadu! Bem presente, mi hija;

como le gustaba decir a las carcajadas cuando alguien le mencionaba las habladurías), la alentó en el romance. Con Miranda, Estela no tendría un futuro económico asegurado, pero se iba a divertir en grande, pensaba la Señora Nena, a quien la podían los tarambanas como Elvio Miranda.

Así fue que se casaron luego de un breve noviazgo y la Señora Nena les regaló el viaje de boda a Los Cocos, en la provincia de Córdoba. Antes del casamiento, Miranda la convenció de que dejara su trabajo como secretaria de un contador. De regreso de la luna de miel, se instalaron en la ladrillería, en las inmediaciones de La Cruceña, a cien metros de la otra ladrillería adonde, poco tiempo después, se mudarían los Tamai.

Como no hubo testigos, la policía imagina la escena del crimen. Elvio Miranda salió del bar Imperio a las tres de la mañana, después de una mala racha con los naipes (si se quedaba cinco minutos más, era capaz de jugarse a la señora, dijeron los compañeros de juego).

Los asesinos, la policía presume que eran por lo menos dos, lo esperaban afuera, escondidos en una casa en construcción, frente al bar (la prueba está en la gran cantidad de colillas que encontraron en el lugar) y lo siguieron a la distancia. Cuando Miranda se alejó de la zona iluminada del Imperio y dobló por la calle que, derecho, lo llevaría a su casa, le dispararon por la espalda.

Miranda cayó boca abajo sobre la vereda, herido pero no muerto. Uno de ellos se acercó al cuerpo y le puso un pie encima, fuerte, como para tenerlo quieto (ello explica el moretón a la altura de los riñones), con una mano lo agarró de los pelos y le levantó la cabeza y con la sevillana en la otra mano, le abrió la garganta.

Después desaparecieron.

Se te viene la noche, Pájaro, piensa y medio sonríe porque ¿qué noche se presentaría con un cielo tan blanco como este? Quiere decir otra cosa, claro. Tiene que mantener la cabeza en marcha hasta que llegue ayuda. No se le ocurre cómo salir de esta. Tiene que proyectar recuerdos sobre ese cielo blanco que se parece tanto a la pantalla del Cervantes y agarrarse de ellos.

Vamos, Pájaro, vamos, acordate de algo.

Del padre no hubiese querido, sin embargo el muy hijo de puta se le aparece. No importa, chango, no importa, vos seguí. A la final, mejor que sea del padre de quien se acuerde ahora, porque es acordarse de él y sentir un fuego en las tripas, una rabia, unas ganas de encontrarlo y cagarlo a trompadas ahora que podría, ahora que es grande y podría llenarle la cara de dedos sin esfuerzo. Mejor que sea el padre: la bronca es un buen combustible. Pensar en el padre y seguir echando leña al fuego, que no se apague, que lo mantenga calentito porque, de a ratos, siente como un frío por dentro.

¿Cómo estará su viejo? ¿Dónde estará?

Ni un recuerdo que valga la pena. Le tenía miedo, aunque no pareciera. El padre creía que él lo desafiaba, pero no: era puro miedo, el miedo que tomaba esa forma, como los animalitos cuando se sienten cercados y atacan con toda la furia. En el fondo, puro cagazo. Y cuando dejó de tenerle miedo, cuando tuvo el valor para enfrentarlo, el muy crápula se manda a mudar y lo deja pagando. Desaparece y él se queda con toda la rabia martillando en su cabeza como un arma descargada.

Cuando por fin podía sentarlo de culo de una piña, se va. Ni siquiera le concedió ese gusto.

Al principio fue una fiesta, para qué negarlo. La mamá hablando a solas con él, diciéndole que Tamai se había marchado. Él, no dando crédito a su buena suerte, preguntando a dónde, hasta cuándo. Ella moviendo la cabeza, bajando la vista, mirándose las manos sin anillo. Tuvo uno una vez, una sortija de oro que encandilaba cuando le daba el sol y que solo se sacaba para curarles los orzuelos. Se la compró el marido una vuelta que tuvo una buena racha. Cayó como a las diez de la mañana, en pedo. Celina lo esperaba en la puerta con un rosario de reclamos y antes de que pudiera abrir la boca, Tamai sacó la cajita forrada en pana roja y le dio el anillo.

Ella siempre había querido una sortija que la anunciara casada frente a los demás, así que de la emoción se le pasó el enojo y hasta lo acompañó adentro y lo ayudó a meterse en la cama y lo arropó como a un hijo y se quedó sentada en el borde del colchón probándose el anillo en todos los dedos de la mano, hasta que él empezó a roncar. Lo tuvo unos años. Cuando estaba nerviosa o preocupada o pensativa lo hacía girar sobre el dedo mayor con el pulgar. Una mañana se despertó y antes de mirar se dio cuenta de que le faltaba algo. El marido le había sacado el anillo mientras dormía, para empeñarlo o para hacerlo rodar sobre el paño verde de la mesa de naipes.

Sin embargo, le quedó el gesto de tocarse el dedo mayor con el pulgar cuando estaba preocupada. Ese día, Pajarito se acuerda bien, cuando él preguntó hasta cuándo, ella repitió el gesto y dijo: para siempre. No parecía triste. Quizá pensativa.

–Ahora vos sos el hombre de la casa –le dijo y le acarició el pelo–. Entre los dos vamos a sacar esto adelante.

Pajarito, que tenía unos trece años, le dijo que sí con la cabeza, pero no se animó a mostrarse frontalmente feliz. Adoraba a su madre y, después de todo, ella acababa de perder el marido.

Recién unos días después se dio cuenta de que su padre le había hecho otro desplante. Justo ahora que él estaba listo para partirle el hocico, el hijunagranputa se mandaba a mudar.

Oscar Tamai empezó a fabricar ladrillos un mes después de que Celina cerrara trato con el dueño del horno. Era un hombre espabilado, así que aprendió rápido, pero sin entusiasmo.

Al principio y así como se la vendió Celina a la idea, entró como por un tubo: ser su propio patrón, manejar sus horarios, eran cosas que siempre había querido. Que nadie lo mandonee ni lo ningunee: él, Oscar Tamai, dueño de su propio destino nuevamente, eso era lindo.

Pero apenas se mudaron a la ladrillería se dio cuenta de que la tendría a su mujer todo el día, Celina y los hijos encima desde que se levantara hasta que se acostara, los problemas domésticos. Todo aquello de lo que antes huía con la excusa de hacer changas o de salir a buscarlas; la rutina del hombre casado de la que siempre se había mantenido ajeno.

Él sería su propio patrón, pero Celina, ya se la veía venir, terminaría siendo peor que cualquiera de los negreros con los que se había topado en su vida.

Si un patrón lo agarraba torcido, Oscar Tamai sin decir agua va le plantaba el trabajo y se iba al diablo. Se sentía poderoso en esas circunstancias, cuando alguno le daba motivo, mordiendo la mano que le daba de comer como el perro ladino que era. Gritando más alto que el patrón, mandándolo a la mismísima mierda, y yéndose despacio, pisando fuerte con sus botas, dueño de cada paso que daba. El resto de los trabajadores siguiendo la escena con la cabeza gacha pero, Tamai lo sabía, felicitándolo por dentro, diciendo de los dientes apretados para adentro: Tamai tiene las pelotas así de grandes.

De allí al bar a contar su hazaña, a contagiar de su espíritu libre a los demás, que nunca se animarían a tanto. Y del bar, más envalentonado por el alcohol, yéndose a su casa a vaciar esas pelotas enormes adentro de su mujer.

Ahora nada de eso sería posible. La muy yegua de la Celina lo había hecho entrar como un caballo. Ahora, cada día una copia del anterior: la espina quebrada acarreando las carretillas de madera, el lomo doblado en el pisadero, sudando como una bestia frente a las pilas encendidas.

Aunque pasarían unos cuantos años hasta que por fin se decidiera, ya entonces, un mes después de poner el primer ladrillo a la vida estable que Celina quería para ella y sus hijos, Oscar Tamai empezó a pensar en dejarlo todo.

Si ella empezó a despedirse de él cuando nació Pajarito, él empezó a despedirse de ella bajo el sol furioso de un mediodía, mientras descansaba sobre la pala, las patas hundidas en el barro, la espalda ardida; los ojos, dos puñaladas de odio.

Unos meses después de empezar a ser vecinos, Elvio Miranda se presentó en la ladrillería de Tamai –que para todo el mundo seguiría siendo la ladrillería de Leyes, el dueño anterior, el dueño, bah, cosa que irritaba profundamente al arrendatario: ahora es la ladrillería de Tamai, contestaba de mal talante cuando alguien caía preguntando por Leyes–.

Miranda golpeó las manos, aunque ya había traspuesto el portoncito de alambre que separaba la propiedad de la calle.

Estaba oscureciendo, pero el calor no aflojaba ni un tranco de pollo. Debajo de la enramada, ninguna luz prendida para no convocar al bicherío nocturno, Tamai estaba sentado en una silla de playa.

–Adelante –gritó sin moverse de su sitio.

Miranda avanzó por el patio desparejo. Aunque estaba todo apagado, el cielo encendido con las luces del atardecer permitía una visión bastante clara.

–Permiso –dijo el recién llegado.

–Como que ya está adentro –contestó Tamai y se inclinó un poco hacia adelante.

Miranda pensó que se pondría de pie para recibirlo, pero no. Estiró el brazo para agarrar un jarro de lata que había sobre la mesa. Tomó un trago y lo dejó en el piso, más cerca de él, y se pasó la mano por la boca. La misma mano, enseguida, pasó a acariciar la cabeza del cachorrito que tenía sobre la falda.

No invitó al recién llegado a sentarse ni tuvo con él ninguna formalidad. Miranda se quedó parado y por hacer algo prendió un cigarrillo.

–Oiga, Tamai, ese perro es mío.

Tamai sonrió y volvió toda su atención al animalito. Un galgo picudo, con rayitas oscuras y las orejas todavía demasiado grandes para el cráneo; la cola era una víbora finita que golpeaba contra el muslo del hombre. Le metió un dedo en la boca y los dientes como agujitas se clavaron al cuero endurecido y movió la cabeza para un lado y para el otro, sin soltarlo. Tamai volvió a sonreír y lo levantó hasta su cara y el perrito le lamió la nariz. Le gustaba ese olor a leche que tienen los cachorros.

–Me parece que está equivocado –dijo.

–Ese perro es mío. Un vecino le vio cuando se lo llevaba.

–Me está diciendo ladrón.

–Le digo que me lo devuelva. Es un galgo de carrera. Es de la camada que parió la Daisy. La madre y el padre son campeones, me oye.

—Este perro es mío —dijo y se inclinó para tomar otro trago.

—Déjese de joder, Tamai, y devuélvamelo.

Tamai soltó una risita.

—No quiero líos, Tamai.

—No quiere líos, pero viene a mi casa a decirme que le robé un perro. Está raro eso. Si yo no quiero líos, me quedo en mi casa.

—Óigame. Este no es un perro cualquiera. Es un futuro campeón. Es el mejor de la camada. Si busca un cachorro, le doy otro. Pero este no.

—No busco un perro. Ya tengo uno.

—Estos no son perros comunes. Necesitan un cuidado especial. Entrenamiento. ¿Me oye?

Tamai levantó al perro con una mano y lo movió en el aire. El cachorro gimió.

—Yo no le veo nada especial. Es un perro. Un poco flaco, eso sí. Se ve que el que lo tenía antes le pijoteaba la comida. Cosa fea miserear a un animal, ¿no le parece?

Miranda soltó una risa que no alcanzó para ocultar la impotencia.

—Está bien. Si el perro es suyo, se lo compro. ¿Cuánto quiere?

—No, Miranda. Este perro no está a la venta. Es de la Sonia, mi hijita. Imagínese cómo se va a poner si el perro se va. Está encariñada la changuita.

Miranda prendió otro cigarrillo. Tenía la boca seca. Miró hacia arriba, el cielo que se colaba por la enramada rala. Ya había oscurecido por completo, pero había estrellas. Pensó en qué más podía decirle para convencerlo. En eso escuchó el quejido del portón abriéndose. Miró por sobre el hombro y la vio a la señora de Tamai, que entraba con el bebé en brazos y la nena de la mano.

–Buenas noches –dijo la mujer.

–Señora... –saludó Miranda.

La hija, de unos dos añitos, corrió hasta su padre con esa carrera de pato que tienen los chicos cuando recién empiezan a caminar y abrazó al cachorrito.

–Ve lo que le decía –dijo Tamai y le hizo upa a la hija en una pierna.

–Está bien –dijo Miranda apagando el cigarrillo de un pisotón–. Pero cuídelo. Llévelo a la veterinaria del centro, ahí le van a decir cómo tiene que criarlo. Es un buen perro, Tamai, que le aproveche.

Se dio media vuelta y se fue por donde había venido.

Formalmente, el enfrentamiento entre los dos comenzó con el robo del cachorro, pero venía de antes de ser vecinos incluso. Ninguno recordaba cuál había sido el principio del disturbio. Una noche de esas en que los dos se dejaban estar hasta el amanecer en un bar, se habían desconocido. No se acordaban por qué. Tenían una imagen borrosa de esa noche: estaban en una mesa grande de esas que se arman con los remolones de siempre, se estaba hablando de una cosa, uno dijo algo y el otro lo miró torcido, se habían puesto de pie haciendo recular las sillas y los compinches hicieron silencio; se habían buscado entre el aire viciado, los ojos enrojecidos y los puños listos para saltar sobre el otro.

Pero estaban muy mamados y un comedido de cada lado los había convencido para que se dejaran de jeder. Los habían obligado a sentarse y habían pedido otra vuelta de tragos y la calma había retornado, se había echado un manto de olvido sobre el asunto sofocando la chispa antes de que se volviera incendio. Y los dos se habían olvidado, sí, de la causa del enojo, pero no se olvidaron de que tenían algo pendiente.

Manotearle un cachorro fue la oportunidad que encontró Tamai para actualizar ese viejo rencor. Ahora, los dos vecinos, los dos ladrilleros para colmo, la lucha sería sin cuartel.

Cuando salió de la casa de su vecino, Miranda se fue convencido de que Tamai entrenaría al perro con el objeto de medirlo con alguno de los suyos en la pista. No le había mentido cuando le dijo que ese cachorro era el mejor de la camada. Miranda sabía de galgos más que de cualquier otra cosa y mientras la perra iba pariendo, él separaba mentalmente a los campeones del resto.

Se dijo que debería entrenar el triple a los hermanos del galguito para no quedar mal parado el día que se enfrentaran en una carrera.

Pero Tamai tenía otros planes para el cachorro. A él le gustaba apostar, pero no tenía paciencia para entrenar un perro. Se lo había afanado para joderlo nomás, aunque iría un poco más lejos.

Así Miranda, con el correr de los meses, vio cómo Tamai iba arruinando a su perro. Flaco, encadenado a una estaca en el fondo de la casa, con la lengua afuera esos días en que el calor raja la tierra. Poniéndose malo gracias a los correctivos de su dueño. Suelto, vagando por el barrio, robando comida de la basura, peleando con otros perros, el pelaje estropeado por las cicatrices y las bicheras. Corriendo coches: una sombra de la aerodinamia y la elegancia natural del animalito.

Se le rompía el corazón cada vez que se lo cruzaba. A veces prefería que lo dejasen atado, así no tenía que asistir al lento derrumbe del bicho.

A Estela también le partía el alma verlo así al marido por causa del perro.

Una noche, mientras todos dormían, se escurrió por los fondos de las casas de la cuadra hasta llegar a la de Tamai. El galgo estaba atado al palo de siempre. Fue fácil tenerlo callado con un poco de comida. Un par de trozos primero, para sebarlo, y una pelota grande de carne con vidrio molido enseguida. Volvió a su casa temblando. Estaba horrorizada por lo que acababa de hacer, pero se consoló pensando que también el galgo dejaría de sufrir, el pobrecito.

Pajarito se acuerda. Ahora se acuerda de todo, los recuerdos se le vienen como trompada de loco, uno atrás de otro, desordenados.

Tiene otra vez diez años. Está parado, quieto, con el ceño fruncido, al lado de la mesa donde colocaron una pecera grande, de vidrio, cuadrada. La madre le ha puesto sus mejores ropas: el pantalón azul marino de la comunión que ya le va estrecho, el fundillo corto le está estrangulando las bolas, y ni hablar del ruedo que le queda en los tobillos aunque la mamá se lo soltó entero; una camisa leñadora a cuadros rojos y verdes y negros, que es nueva y le gusta, está a la moda –alcanzó para la camisa, pero no para otro pantalón–, las zapatillas más nuevas que tiene, unas Flecha de lona también azules, y el pelo bien peinado para un costado.

Mira de reojo la pecera iluminada desde arriba por un reflector: el pescado que tiene los dos ojos en el mismo lado de la cabeza, coletea en el agua, de una pared a otra, buscando el camino para volver al canal donde Pajarito lo atrapó el día anterior. Él también tiene ganas de escaparse, de estar con el resto de la gente del otro lado de las puertas cerradas, en el medio de la bulla de afuera, y no en el silencio con olor a rancio de adentro del museo.

–¿Listo, chango? –le dice el intendente y la mujer del intendente le sonríe de lejos.

Pajarito dice que sí con la cabeza y el intendente hace chasquear los dedos y se acomoda del otro lado de la pecera justo cuando las puertas dobles se abren y la gente entra a los empujones. Un cordón grueso impide que los curiosos se acerquen más de lo debido. Cuando el grupo de fotógrafos dispara sus cámaras, los flashes lo enceguecen. Por un instante, ve todo blanco.

El intendente pide silencio y dice unas palabras. Pajarito no lo escucha, busca entre la gente caras conocidas, distingue a algunos compañeros de la escuela que le hacen morisquetas y, a un costado, a su madre y sus hermanos. Busca al padre, pero no lo encuentra.

Se sobresalta cuando el intendente lo agarra de los hombros y lo acerca a él, escucha que pide un aplauso, y enseguida el repiquetear de las palmas, el murmullo que crece, algún chico más grande que grita desde el fondo: ¡Eu, Pajarito, bajá los pantalones a tomar agua!, y el coro de risas, y el intendente que lo lleva con él fuera de la luz del reflector, los empleados del museo que levantan el cordón y la gente otra vez empujándose para ver de cerca el extraño hallazgo.

–Bien, changuito, bien –dice el intendente y le da unos golpecitos en la mejilla, y agarra a la mujer del brazo y se pierden entre la multitud.

Pajarito se queda solo y medio desorientado. Con dos dedos tironea el fundillo a ver si la costura deja de lastimarle los huevos. Quiere irse a su casa y sacarse ese pantalón de mierda. Se abre paso y cuando por fin sale a la vereda, los que esperan lo reconocen –¡Es el changuito que sacó el pescado!– y lo agarran para llenarlo de preguntas: que de dónde lo pescó, que si tiene los dos ojos del mismo lado, que si tiene dientes cuadrados, de cristiano, que esto y que aquello.

Pajarito no sabe, no contesta, se encoge de hombros, se quiere ir de allí. Le comieron la lengua las lauchas, dice uno y otros festejan a las risas. No hagás hombritos, maleducado, agrega una vieja, contestá cuando se te pregunta. Y otra dice: tenía que ser hijo de Tamai por lo sobrador el cursiento.

Siente una vergüenza enorme y sale corriendo, corre las seis o siete cuadras que lo separan de su casa, se para en el portón y espera a que se le calme el resuello. La noche está cayendo y la casa está en penumbras, pero debajo de la enramada ve la brasita del cigarrillo de su padre que sube y que baja, como una diminuta luz mala.

Entra. Tamai está tomando vino en su jarro de lata.

–¿Ya dejaron de pavear con el pescado ese? –dice.

Pajarito no contesta. A él tampoco va a responderle las preguntas.

–Mirá si hay gente al pedo en este pueblo de mierda.

El chango amaga seguir viaje adentro de la casa, pero la voz de Tamai lo detiene.

–Sentate.

–Me voy a sacar el pantalón.

–Sentate acá, te digo –dice y de una patada corre una silla de abajo de la mesa–. ¿Qué pasa? Ahora resulta que tu padre es poca cosa para que te sientes con él un rato, eh.

Pajarito se sienta.

–Así me gusta.

Tamai se prende otro cigarrillo y Pajarito le ve la cara iluminada por la llamita. Siente miedo y desprecio.

–¿Te dieron algo?

–¿Qué?

–Si te dieron algo por el pescado. Unos pesos.

–No.

–Mirá que sos boludo. Tendrían que haberte dado plata por el pescado ese. O te creés que en esta casa a la plata la caga el perro. Miralo vos al changuito mano suelta haciendo donaciones a la intendencia. Todo es culpa de tu madre que siempre te apaña. A tu edad yo hace rato que trabajaba en las cosechas, me oís.

–No era mío el pescado.

–¿Qué decís?

–Que el pescado no era mío. Le saqué del canal.

–A mí no me contestés, eh.

–Entonces para qué me preguntás.

–¿Eh?

–Para qué me preguntás si no querés que te conteste.

Tamai suelta una risotada. Los dientes le brillan en la oscuridad.

–Íiiijole. Tenés suerte porque hoy tu padre anda contento que si no te cruzo la jeta de un cintazo por bocón. Andá. Volá de acá.

En la pieza, Pajarito se saca el pantalón y se queda sentado en el borde de la cama con la prenda en una mano. Tiene tanta bronca que aprieta los dientes y empieza a tironear la tela hasta que las costuras se abren y el ruido de los hilos secos cortándose aturde la noche que se espesa en la ventana.

Un día va a ser grande y le va a partir la cara al padre y a cualquiera que se anime a decirle, como recién, afuera del museo, que él es igual a Tamai. Un día su cuerpo dejará de quedarle chico a tanta furia como siente desde que tiene memoria.

Después de la escapada a lo de los Tamai, Estela volvió a la cama y abrazó fuerte a su marido. Entre sueños, Miranda creyó que ella lo estaba buscando y actuó en consecuencia, acariciando su cuerpo bajo el camisón finito, la carne desnuda de Estela que se había asentado con el tiempo: seguía conservando buenas formas, aunque más llenas que en la época de los reinados de carnaval.

Ella, que todavía temblaba por lo hecho, se dejó llevar, respondiendo a los movimientos de Miranda. Él la puso boca abajo y empezó a lamerme las nalgas, derivando por sus curvas hasta llegar con la lengua ahí abajo.

Después lo sintió treparse sobre ella, pasar las manos por debajo de su torso y agarrarle las tetas. A los dos les gustaba coger así. Él montándola, mordiéndole la nuca, agarrado a sus pechos como a la brida de un caballo. Ella corcoveando, levantando y bajando las ancas para que el miembro de su hombre se enterrara hasta el tronco, mordiendo la almohada para no gritar.

Los dos se querían y eran buenos compañeros.

Cuando terminaron, Miranda volvió a caer de espaldas sobre la cama y ella se acurrucó sobre su pecho y se sintió más tranquila. Había hecho bien en acabar con el galgo. Un bien por partida doble, pues había puesto fin al sufrimiento de su marido y también al sufrimiento del perro.

Se durmió pensando eso: que había hecho lo que había que hacer, que muerto el perro, se acabó la rabia.

Celina nunca se metía en los asuntos de Tamai. Esa noche, cuando Miranda se marchó, preguntó si ese no era el hombre de la otra ladrillería. Tamai le dijo que sí. Por un momento, ella se animó pensando que tal vez al tipo le sobraba trabajo –sabía que hacía años que estaba en el negocio de los ladrillos– y que había venido a ofrecérselos a ellos. Pero no, al parecer había venido por algo del perro, se lo había querido comprar, le dijo el marido.

Así como estaban, mal de plata, Celina le dijo que se lo hubiese vendido.

–Paga poco –dijo Tamai– y este perro no está a la venta; es de la Sonia.

–Dejate de pavadas. Un perro es una boca más para alimentar...

–El perro no se va. Punto. Además no se lo voy a vender a ese paspado.

–¿Le conocés vos?

–Bastante.

–Ah, nunca me dijiste nada. ¿Y de dónde?

–De por ahí. Cosas de hombres, Celina, dejalo ahí nomás. Damelo al Pajarito y andá a cocinar.

Ella le alcanzó a la criatura con un suspiro.

–Más que cocinar, pedime que haga magia... no queda nada en la alacena. –De golpe sintió que la angustia le subía desde la boca del estómago.– No sé qué vamos a hacer.

–Ya se van arreglar las cosas, mujer. Tomá. Tomalo vos al chango que yo me voy hasta el almacén a ver si me fían algo.

Celina se pasó la mano por los ojos y agarró al bebé. El niño balbuceó y movió los bracitos para manotear un mechón del cabello de su madre. Ella sonrió y lo abrazó con fuerza.

–Me la llevo a la Sonia –dijo Tamai–. Con la changuita, el viejo de la despensa no me va a poder decir que no.

Levantó a la nena y Celina los miró irse. Padre e hija se fueron charlando: ella a media lengua y él respondiéndole en un tono dulce.

Volvió a apretar al bebé contra el pecho, tan fuerte que soltó un rezongo y ella lo apartó de prisa, pensando que le había hecho daño. Aunque Tamai consiguiera que le fiaran algunas cosas, no se le pasaría la angustia.

Hacía un tiempo que venía pensando en ir a ver a su padre. Llevarle los nietos para que los conociera. Tal vez, con ellos en el medio, el viejo se ablandara. Por más que había jurado no volverlo a ver ni el día de su entierro, si las cosas seguían así, tendría que agachar la cabeza y ver si la perdonaba.

Dejó al nene en el catrecito que había en el patio, lo dejó solo con el pañal para que se refrescara un poco, y se sentó un rato a pensar. Miró el cielo estrellado y se prendió un cigarrillo del atado que el marido había olvidado sobre la mesa. Sospechaba que estaba embarazada de nuevo. Había estado mareada y nauseosa los últimos días. Como todavía amamantaba, seguía sin bajarle la regla y a veces se boleaba con las fechas del ciclo; más de una vez, Tamai se olvidaba de acabar afuera. Apenas percatada del descuido, Celina se enojaba con los dos por partes iguales, con ella y con el marido, por ser tan irresponsables, pero la cosa ya estaba hecha.

El único gusto que podían darse por esos tiempos, era coger; un divertimento gratuito, difícil negarse a esos ratos plenos que compartían. El matrimonio de ellos no estaba bien y las cosas tampoco habían mejorado desde que Tamai era su propio patrón. Al contrario, trabajaba a media máquina y los pocos clientes que conseguían terminaban disconformes y así como el ladrillero se tomaba su tiempo para entregar el trabajo, ellos, después, se tomaban su tiempo para pagarle.

A veces Celina pensaba que lo único que les quedaba era el amor carnal, solamente en la cama se entendían y se desentendían de los problemas diarios.

Los dos eran de sangre caliente. Ella no había conocido otro hombre que Tamai, sin embargo a su lado se había vuelto una mujer experimentada. La había vuelto una viciosa y no podía conciliar el sueño si él no la servía. Incluso las noches en que volvía borracho, ella se las arreglaba para que se le pusiera lo suficientemente dura como para sentarse encima.

Él no iba a permitirle hacer las paces con su familia. Pero así como él tenía sus asuntos que no compartía con ella, ella podía hacer cosas a su espalda. Si su viejo aceptaba ayudarla y Tamai tenía un plato de comida y un vaso de vino sobre la mesa, Celina sabía que no preguntaría de dónde habían salido.

La economía de los Miranda tampoco iba tan bien. Elvio Miranda era un buen ladrillero, quizás el mejor del pueblo, avalado por la tradición familiar en el oficio, pero era otro que andaba a su aire y no cumplía con los plazos de entrega. Le gustaba más entrenar a sus galgos de carrera que pasarse el día paleando y acarreando tierra al pisadero. De vez en cuando tenía a algún muchacho joven que lo ayudaba, pero como tampoco era cumplidor con los pagos, los ayudantes terminaban yéndose.

Si tenían para comer, era porque Estela había tomado las riendas de la economía doméstica y se había puesto a coser para afuera.

De adolescente, la Señora Nena, su madrina, la había mandado a estudiar corte y confección y aunque en esos tiempos no se había cortado más que un par de vestidos –no tenía necesidad, ella trabajaba y la madrina no le dejaba faltar nada–, después había vuelto a la práctica de la costura ayudando con los trajes de la comparsa. Siempre había sido una mujer emprendedora y aunque se hubiese dejado convencer por Miranda de abandonar su trabajo de secretaria, cuando se casaron, apenas entendió cómo serían las cosas, mandó traer la Singer de cuando era soltera y puso cartelitos en los negocios de la zona ofreciendo pequeñas costuras.

La Señora Nena le había dicho que la falta de dinero podía arruinar hasta al mejor matrimonio y Estela, que se había casado enamorada, de una vez y para siempre, no iba a dejar que eso les pasara a ellos. Elvio Miranda era un cabeza hueca, pero lo adoraba, era el padre de su hijo y el hombre con el que esperaba envejecer: si él no traía plata a la casa, ella se iba a encargar de que tuviesen, por lo menos, lo necesario.

De no haber sido por los vicios de Miranda, que ella apañaba como si el hombre fuese un niño, hubiesen estado mejor: de los remiendos, ruedos y zurcidas, Estela pasó enseguida a confeccionar ropa y en poco tiempo más ya estaba haciendo su primer vestido de novia. No es que Miranda le sacara plata a escondidas o le pidiera, si no que ella, para que su marido no se resintiera en su hombría, siempre le dejaba algo en los bolsillos, para sus gastos.

Marciano levanta un brazo –cómo duele el esfuerzo– y acaricia la mejilla del padre, la barba crecida; intenta llegar al cabello, más largo, con mechones ondulados, morenos, pero el brazo se le cae, redondo, como vieja desmayada en un velorio. Se ve tan joven su padre, como si el tiempo no hubiese pasado.

–Papá, ¿te acordás la vez que fuimos a cazar a Entre Ríos?

Miranda se ríe.

–Cómo no. En la chata del Antonio.

A Marciano le había gustado, lo hacía acordar a *Las aventuras de Tom Saywer*, el río con la vegetación espesa a los costados, el calor húmedo, los insectos. Se habían metido con un botecito a motor y habían recorrido el curso del agua que se internaba alrededor de pequeños islotes.

Él tenía once años. Al año siguiente, a los pocos meses, en realidad, moriría su padre. Pero en esos días, su papá era un tipo lleno de vida. Miranda llevaba el cabello más largo que ahora y la barba también, y el vapor que venía de la orilla o del mismo río, del sol que pegaba hasta el fondo calentando el limo, el vapor del ambiente le humedecía los pelos, se los pegaba a la cabeza y a la cara. Sonreía y miraba lejos. Antonio también. Los dos hombres mayores no hablaban y él tampoco. El paisaje era tan poderoso que parecía haberlos dejado sin aliento. Solo se oía el ruido del motor y del agua atravesada por la embarcación.

Finalmente habían parado, se habían bajado chapaleando en el agua, Antonio y su padre arrastraron el bote hasta la pequeña playa de arena, armaron un fuego; la tarde empezaba a caer, pero en esa zona, por la gran cantidad de árboles, ya estaba oscuro.

Esa noche comieron un guiso de arroz. Los hombres se quedaron charlando hasta tarde, contando anécdotas de cacerías anteriores, propias y ajenas, evaluando las distintas maneras de cazar un carpincho.

Marciano se tiró en una colchoneta y los escuchó un rato, quería aprender, grabarse todas las historias para después lucirse frente a sus compinches, hasta que las voces de los mayores se fueron perdiendo, se fueron mezclando con el rumor de la vegetación y del agua, el graznido de los pájaros nocturnos, el ruido a ramitas rotas por el paso de algún animalito.

–¿Te acordás que te dije que me quería ir a vivir ahí?

Miranda no responde. Está mirando lejos, como aquella vez en el bote, pero no sonríe.

–Papá, ¿te acordás?

–¿Eh?

–Que me quería ir a vivir a Entre Ríos...

–Ah, sí, ¿te vas para allá? Pero yo no te veo bien, hijito.

–No, papá.

Quería vivir en un sitio como ese. Con todo ese verde, con toda esa agua; si hasta los pájaros eran más lindos que acá, el plumaje más brillante, los picos más coloridos. Acá, todo duro, seco, espinoso, lleno de polvo. Allá, hasta el carácter de la gente debía ser más amable. Acá no se puede, acá todo tiene que ser violento, a la fuerza.

Esa mañana, cuando Tamai encontró al galgo muerto, con los ojos vidriosos y la cabeza descansando sobre un charco de baba y sangre, sintió tal furia que le pegó una patada en las costillas, como si así pudiese volver a ponerlo de pie.

Ese no podía ser sino el hijo de puta de Miranda.

Desprendió la cadena de la estaca y salió arrastrando el cuerpo. Celina, que recién se levantaba, lo vio y salió al patio.

–¿Qué pasó?

–Este hijunagranputa me envenenó el perro.

–¿Quién? ¿Qué estás diciendo?

–Miranda, quién va a ser. Le tiró veneno o vidrio molido, no sé, para el caso es lo mismo: el perro está muerto.

–¿Y adónde vas?

–A plantárselo en la jeta.

–Dejá. Quedate acá. Vamos a enterrarlo antes que se levante la Sonia y lo vea.

Tamai siguió camino sin escucharla. El cuerpo del galgo, ya un poco hinchado, resonaba sobre el suelo seco y polvoriento. Lo arrastró los cien metros hasta la casa de Miranda y entró, abriendo el portón con un impulso del pie.

Estela lo vio por la ventana y sintió que se le helaba la sangre. Salió enseguida a su encuentro.

–¿Dónde está Miranda, señora?

–No... no está... mire...

–Quiero hablar con él.

–Escúcheme... mi marido no tiene nada que ver...

Estela miró al animal y se le llenaron los ojos de lágrimas.

–¡Miranda! ¡Salí! ¡Salí, te digo!

–Por favor, Tamai, no grite que el bebé está durmiendo. Yo le puedo explicar... mi marido no tiene nada que ver.

–¡Salí, gallina! Te escondés atrás de las polleras de tu señora, eh.

Miranda se despertó con el alboroto. Se puso un pantalón y salió a ver qué pasaba.

–¿Qué mierda? –dijo.

Lo miró a Tamai, que levantó el brazo, agitando la gruesa cadena, y entonces lo vio.

Ahora fue a él a quien le brillaron los ojos. Fue corriendo y se arrodilló al lado del perro.

–Pobrecito, mi viejo... –alcanzó a decir antes de que Tamai le diera una patada en la mandíbula que lo tiró de espaldas sobre la tierra cuarteada.

–Hijo de puta, me mataste el perro.

Aprovechando el desconcierto de su enemigo, Oscar Tamai se le tiró encima. Miranda se repuso rápido y empezaron a pelear, rodando por las depresiones del terreno hasta caer en el barro del pisadero.

Estela los seguía a los gritos.

–¡Basta! ¡Fui yo! ¡Fui yo!

Pero ninguno de los dos tenía ganas de escucharla. Parecían dos perros de pelea. Miranda logró sacarse a Tamai de encima y se puso de pie. El otro también, andando a cuatro patas salió del círculo lodoso, de la mezcla chirle que haría futuros ladrillos. Los dos estaban echando los bofes, embarrados; los ojos amarillos de Tamai refulgían como la hoja de dos cuchillos buscando el corazón de su enemigo.

–Esto... no se termina... acá –amenazó con la voz entrecortada por la bronca y el esfuerzo.

–Tendría... que matarte –respondió Miranda, con las manos apoyadas en las rodillas, tratando de entrar aire en los pulmones.

–Querías tu perro... acá lo tenés, mierda –dijo Tamai, caminando hacia la salida.

Cuando pasó al lado del cuerpo, volvió a darle una patada, con la última fuerza que le quedaba, como si quisiera hacerlo volar. Pero el animal ya estaba pesado y duro como una roca.

Algunos vecinos, que se habían asomado al escuchar el griterío, desviaron la vista y chuparon el mate cuando lo vieron pasar frente a sus casas, no fuera cosa que la terminaran ligando por comedidos.

Estela, llorando, agarró a su marido de un brazo y lo llevó hasta el patio, donde había una canilla y una pileta de lavar ropa. Enchufó una manguera y le tiró agua sobre el cuerpo, fregándolo con una mano para sacarle el barro.

–Está en pedo, está loco de remate –decía Miranda, agachando la cabeza para que su mujer también le lavase el pelo.

Cuando quedó presentable, Estela cerró la llave y fue hasta el tendedero y trajo una toalla y se la alcanzó.

Él se secó un poco el cabello, que le chorreaba, y después se puso la toalla en el cuello. Con los pantalones y el torso mojados, en patas como había salido de la cama, se fue con tranco largo adonde había quedado el cuerpo del galgo. Lo miró desde lo alto, con las manos en la cintura.

–¡Qué macana! Pobrecito. Pobre viejito, qué mala pata.

Estela se acercó y lo abrazó por la espalda.

–Fui yo, Miranda –dijo.

Él se dio vuelta de un salto como si lo hubiese picado una víbora.

–¿Qué decís?

–Que le maté yo...

La mujer se cubrió la cara con las manos y se echó a llorar.

–Qué estás diciendo, Estela...

–Yo. Fui yo... no te podía ver más sufrir así por ese animal.

Miranda meneó la cabeza y se pasó una punta de la toalla por la cara.

–Perdoname. Pensé que así se terminaría todo de una vez... no sé qué se me dio por pensar algo así... fue un impulso.

–Estela... vos no le conocés a Tamai.

No dijo nada más. Se puso en cuclillas y soltó el collar y la cadena, levantó al perro en sus brazos y empezó a caminar hacia el fondo, rodeó unas pilas de ladrillos y siguió hasta el límite de su terreno. Depositó al galgo sobre unos pastos y lo acarició. Volvió a mover la cabeza, apenado.

Desanduvo su camino, buscó una pala, volvió al fondo y se puso a cavar.

Estela lo miró de lejos, no se animaba a acercarse.

La espalda encorvada del marido brillaba al sol que ya estaba picante, la pierna empujaba con fuerza la herramienta y sacaba bocados de tierra que iba dejando a un lado. Cuando el pozo fue lo suficientemente hondo, agarró el cuerpo por sus cuatro patas y lo tendió adentro del agujero. Volvió a echar la tierra, después aplastó la superficie con el ancho de la pala y se sentó a descansar. Puso una mano sobre los terrones frescos, como si la estuviese apoyando sobre el galgo.

Cuando Celina lo vio venir a Tamai, ahogó un grito y salió corriendo a su encuentro.

—Pero, virgen santa, qué te pasó.

Él siguió de largo, sin responderle. Fue hasta una canilla, llenó un balde con agua, lo levantó sobre su cabeza con los dos brazos y se lo tiró todo encima. Abrió la llave para volver a llenarlo. De golpe, se echó a reír.

Celina lo miraba sin entender demasiado. Estaba visto que se había agarrado a trompadas con el vecino, pero ¿de qué se reía?

—Pasame la esponja y el jabón y ayudame con esto —dijo, todavía hipando por la risa.

Celina fue adentro a buscar las cosas y cuando volvió al patio, Tamai estaba desnudo, echándose más agua con el balde. Ella lo ayudó a limpiarse el barro. Le enjabonó el pelo hasta que quedó cubierto de una espuma percudida. Se lo enjuagó vertiendo agua con un jarro. Después trajo una toalla y empezó a secarlo, dándole pequeños golpecitos en el cuerpo y frotando con fuerza el cuero cabelludo.

Él, que se había sentado para facilitarle el trabajo, la

agarró por la cintura y la puso sobre su falda. Ella le inspeccionó el tajito que tenía sobre el pómulo.

–Te voy a poner algo ahí, así te cierra más rápido.

Él dijo que sí y la abrazó. Celina sintió que se le humedecían los ojos y apoyó el mentón sobre el hombro de su esposo.

Faltaba poco para que naciera su tercer hijo. Estaba tan agobiada que ni siquiera había pensado nombres ni había acomodado la ropa. Por suerte, tenía mucha que le había quedado de Pajarito: había crecido tan rápido que algunas prendas estaban casi sin uso. Pero tenía por lo menos que sacarlas de la caja, lavarlas, airearlas un poco. Comprar tela y hacer pañales. Se abrazó con más fuerza al cuerpo de Tamai. A veces tenía miedo de que se lo matasen. Dos por tres se agarraba con uno y con otro; ahora también con el vecino. No tenía cura. ¿Qué iba a hacer ella, viuda, con hijos chiquitos?

Se secó los ojos con el dorso de una mano y se puso de pie. Él hundió la cara en su panza y le acarició el culo.

–Tenés que parar un poco –le dijo, pasándole los dedos por el pelo.

Él levantó la cara y la miró con esos ojos achinados, amarillos, y le dijo que sí, moviendo apenas la cabeza.

Ahora que se había calmado, empezaba a sentir en todo el cuerpo el dolor de la paliza que se habían dado con Miranda.

Escuchá, Pájaro, escuchá. No te duermas, me oís. Eu, te estoy hablando a vos... dale, Pájaro, espabilá. ¿Escuchás eso? ¿Oís? ¿Oís vos también? ¿Qué es lo que es? Como un quejido ¿no? ¿De dónde viene? ¿De allá? ¿De allá decís? No sé. Más cerca parece. Un quejido como de bisagra seca. Ah, claro, son las sillas que se mueven. ¿Te dio miedo? Pero qué iba a ser, che, un fantasma. Es que se levantó como un vientito, ¿sentís?

Vos sabés bastante de estas máquinas. Un verano se te había metido en la cabeza rajarte con un parque parecido a este. ¿Qué habrás tenido? ¿Doce o trece? Venías y hablabas con los empleados. Algunos no te daban ni pelota. Pero otros se tomaban el tiempo para explicarte el funcionamiento de los juegos, hasta te dejaban echarles una mano para ajustar tuercas o engrasar piezas. Es importante que esté todo bien aceitado, que no haya chirridos que espanten a los clientes. Les preguntabas cosas de la vida en el parque. Cómo es viajar de un lado a otro, andar rodando sin ataduras. Si se extraña a la familia. Averiguabas a ver si juntabas el valor para irte con ellos.

Una vuelta te fuiste y todo. Ahí eras chiquito. Cinco o seis años. Tu padre te había dado una paliza por algo... o por nada. Metiste tres naranjas en una bolsa y te las tomaste, agarraste por el camino viejo que va a Santa Ana. Habías llegado bastante lejos cuando empezó a caer el sol. Paraste y te comiste las tres naranjas, una atrás de la otra. Los yuyos en los bordes del camino se iban oscureciendo y parecían más altos. Te sobresaltó un ruido. Eran unos caballos sueltos. Estaban comiendo los brotes de un árbol. Verlos de golpe, los tres negros o se veían negros desde la distancia, parecían tres encapuchados. Retomaste la marcha. Cuando apareció la camioneta de frente no pensaste en esconderte. Hubiera sido fácil: nomás tirarte de panza en la cuneta. Pero no, seguiste caminando, a su encuentro. El hombre frenó. El cielo estaba incendiado.

–¿Qué hacés acá solo? –te preguntó.

Vos no contestaste.

–¿No sos el hijo de Tamai vos? Vení, subí que te llevo.

Obedeciste.

Nadie se enteró de tu intento de fuga. Te dio bronca que ni la mamá te hubiera echado en falta. Mejor que tu padre no supiera o ibas a cobrar doble.

A la noche, con la panza llena y en la cama, todavía tenías rabia aunque en el fondo pensaste que mejor así.

Pero la puta madre, cómo chillan las sillas vacías. Cuando esto está lleno, con la música, ni se nota.

Marciano solía sentarse afuera las noches en que el calor hacía imposible quedarse adentro. Es decir, casi todas las noches del año, excepto las del invierno, tan breve como un suspiro. Todo el barrio estaba siempre afuera de las casas hasta muy tarde, hasta que el cansancio era más fuerte que el calor, hasta que los cuerpos se rendían y se resignaban al sopor de las piezas con ventiladores echando aire caliente sobre las pieles transpiradas, moviendo apenas el humo de los espirales.

De chico estaba con los demás en la calle. Parecía que correr, saltar, andar en bicicleta refrescaba más que quedarse quieto. Cazaban mariposas en los faroles de la calle o se metían en la oscuridad de los baldíos persiguiendo taca-tacas. Las encerraban en frascos de vidrio y las ponían sobre la mesa de luz y se dormían escuchando el tac-tac que hacían los bichos cuando encendían sus diminutas linternas.

De adolescente, se juntaba con los compinches en alguna esquina a fumar, tomar cerveza y pavear con las changas que siempre andaban de a dos o tres, haciéndoles la pasada. Todos en short, en cueros y en patas, exhibiendo los cuerpos fibrosos, los pectorales y bíceps incipientes, que empezaban a sacar a fuerza del trabajo bruto.

A veces se quedaba en la casa hasta que alguno venía a buscarlo y lo convencía para ir al centro a jugar unos fichines. Se sentaba en una reposera, con el grabador aparatoso que se compraba cada año, cada vez más grande, más lleno de luces y chirimbolos, con los parlantes más potentes. Escuchaba cumbia santafesina y cuarteto; música que le conseguía el disc jockey del boliche, que era amigo suyo. Fumaba y tomaba un porrón y le daba vueltas de nuevo a la idea de irse a Entre Ríos.

Se acordaba de la vez que había ido con su padre, el único viaje que llegaron a hacer juntos y el único viaje que él había hecho. Cerraba los ojos y volvía a ver el río, los árboles, las lomadas cubiertas de pasto; volvía a sentir en la cara la frescura que venía de la masa de agua, el aire dulcemente envenenado por el perfume de las flores que crecían en la ribera.

No sabía el nombre del sitio adonde habían pasado esos días en compañía de Antonio. No le importaba. Era Entre Ríos y Entre Ríos debía ser toda igual, acuática y verde.

En esos momentos, le agarraba una nostalgia y ponía la música al taco para que la mamá y los hermanos no sospecharan su ánimo.

Entonces se decía que antes de tomárselas a Entre Ríos, tenía que vengar la muerte de su padre. Aunque habían pasado unos cuantos años y el caso se había archivado unos pocos meses después del suceso, él no se olvidaba, lo tenía presente cada día de su vida.

Después de la pelea con Miranda, Tamai pensó que había que poner paños fríos al menos por un tiempo. Se debían pelear cuerpo a cuerpo desde aquella lejana noche en el bar cuando los compinches los habían frenado. Estaba visto que los puños de los dos se habían estado buscando desde entonces y esa mañana se habían sacado el gusto.

Miranda, tenía que reconocerlo, era buen peleador. A Tamai, el esqueleto le había dolido por varios días. Después de todo, la cosa, el esquema de los sucesos, había sido bastante justo: él le había robado un perro de carrera, se lo había arruinado; el otro, se lo había matado. En el fondo, no le importaba la muerte del animal, sabía que a Miranda le había dolido más que a él. Pero se había tomado revancha, y estaba bien.

No le había gustado la manera en que la Celina lo miró cuando le dijo que parase un poco. Aunque a veces no se llevaban bien y se sentía preso en la ladrillería y hasta había pensado en largar todo y mandarse a mudar, lo cierto es que era la primera vez que tenía algo en la vida, tenía una familia, él, que se había criado guacho, que había andado rodando de acá para allá, tenía una familia y un hombre de verdad tiene que cuidar de su familia.

Decidió sentar cabeza. Ya tenía veintisiete años y el tercer hijo venía en camino. La Celina era una buena mujer y lo peor que podía pasarle a él era que decidiera volver con su padre. Si ella lo abandonaba, ese viejo de mierda le iba a ganar la partida. Y él no estaba dispuesto a perder.

Avivar el antiguo rencor hacia el suegro, enfrió su bronca con Miranda. Ya les iba a enseñar al viejo y a las argolludas de las hijas que Oscar Tamai valía más que ellos tres juntos.

Por primera vez se sintió un hombre nuevo, alguien capaz de enderezar el rumbo de su vida, y de hacer las cosas bien. Y lo había descubierto solo: no había venido ningún pastor ni nadie del gobierno a decírselo. Su propio seso le había revelado la verdad.

Los años que duró la conversión de Tamai fueron los más felices para Celina y los hijos. No fueron más de tres años que pasaron rapidísimo, como siempre pasa con las cosas buenas, apenas uno empieza a acostumbrarse, ¡zas!

Pero progresaron bastante. Tamai demostró que no sólo podía ser su propio patrón sino su mejor empleado. Se levantaba al alba y trabajaba todo el día, parando solo para comer y echarse una siesta. Dejó la junta de los bares. No dejó la bebida, pero se tomaba su vino tranquilo, en su casa, con su familia. Enseguida del tercero, Celina compró su cuarto bebé.

Y por esos años, volvió Leyes, el dueño de la ladrillería, volvió con ganas de vender, pues se había afincado en el sur (no vuelvo más a este infierno ahora que falleció mi mamá, dijo), y ellos pudieron comprar la propiedad gracias a lo que habían ahorrado y al apuro de Leyes por desprenderse de todo y volver a la plataforma petrolera donde trabajaba.

Celina estaba contenta. La crianza de los hijos y el cuidado de la casa la mantenían ocupada y ya no pensaba en volver a lo de su padre. Se alegraba de no haber flaqueado y de haber seguido aguantando un poco más.

No sabía qué había provocado el cambio radical de Tamai y prefería no escarbar mucho para averiguarlo. No importaban las razones, el caso es que su marido se parecía cada día más al marido que siempre había querido tener.

Ahora, si pensaba en su padre y sus hermanas, era con tirria renovada: le hubiese gustado que la vieran, llena de hijos, feliz, con un hombre que se rompía el lomo para que a ella y a los changuitos no les faltara nada. Pero apenas pensaba en ellos de este modo, dejaba de hacerlo. Celina era temerosa y creía que estos pensamientos podían volverse en su contra.

El asesinato de Elvio Miranda fue noticia y hasta llegó a tener su columna en la sección Policiales del diario regional.

Las muertes en peleas de bar, entre borrachos, así como los llamados "crímenes pasionales", eran tan frecuentes que apenas si merecían algún comentario en la radio. Pero ni la policía, ni los periodistas, ni la gente común les prestaba demasiada atención a menos que fuesen allegados de la víctima o el victimario.

Sin embargo, la saña con que se había cometido el crimen –dos balazos y el degüello–, sumado a que Miranda venía de una familia conocida, le dio su repercusión.

Rebolledo, uno de los policías que había ido a darle la noticia a Estela, había hecho con ella la primaria. Estela le cosía ropa a la señora del comisario. Y todos la recordaban como la varias veces reina del carnaval: aunque ahora estuviese entrada en carnes y un poco avejentada, cada vez que sonreía parecía derramar sobre las cosas el recuerdo de las noches de baile, serpentinas y lentejuelas.

Por todo esto el caso fue tomado con bastante seriedad y hasta hubo una investigación.

Nunca se pudo señalar a ningún culpable. Miranda no era trigo limpio: tenía deudas de juego y había tenido problemas tanto con clientes de la ladrillería como con dueños de perros de carrera.

Las carreras de galgo eran clandestinas y la gente que los criaba y los entrenaba no tenía buena fama. Tampoco las constructoras que le compraban ladrillos a Miranda y eran el grueso de su cartera de clientes: era gente que tenía negocios con el gobierno de la provincia, peces gordos que podían fácilmente matar a un hombre, mandarlo a matar, mejor dicho, y seguir con sus vidas.

Además de otros enemigos menores que se había ganado por discusiones en los bares, estaba la vieja rencilla con su vecino, Oscar Tamai, también ladrillero: todo el barrio sabía de sus constantes peleas y todos los habían escuchado amenazarse, más de una vez, de muerte.

En definitiva: había tantos sospechosos, que no había ninguno.

De todos modos, se cumplió con las formalidades del caso: se tomó declaración a los parroquianos del Imperio que lo habían visto por última vez y se citó a sus posibles enemigos, evitando molestar a los dueños de las constructoras, por supuesto. Primero se haría un barrido por lo más grueso, después, si había que entrar a hilar finito, verían.

Hacía mucho tiempo que no había tanta actividad en la comisaría: entraba y salía gente todo el día, y los canas tenían los dedos mochos de darle duro a las teclas y la cintura molida de estar doblados sobre la máquina.

Podría decirse que todo esto les sirvió de práctica para lo que ocurriría un par de meses después y que sepultaría para siempre la investigación del asesinato del ladrillero: el robo al banco de la provincia.

Un episodio digno de una película, del que se hablaría durante meses y que, con el correr de los años, seguiría siendo una de esas anécdotas de sobremesa que se sacan a relucir de cuando en cuando, siempre con algún aditamento nuevo.

A Oscar Tamai le llegó la citación una tarde. Se la trajo un policía jovencito en bicicleta: tenía que presentarse dos días después.

La fecha indicada entró en la comisaría, fresco como una lechuga. Estaba recién afeitado, con la ropa planchada y las botas lustrosas. Hacía muchísimo calor y el uniforme de los policías tenía manchas oscuras en el pecho y debajo de los brazos. Los ceniceros de vidrio estaban repletos de colillas y todos se veían agotados.

–Sentate, Tamai –le indicó uno.

El citado tomó asiento en una silla frente al escritorio. Sacó un atado del bolsillo de la camisa e hizo un gesto como preguntando si se podía fumar. Por hacer buena letra nomás, porque la habitación estaba tan llena de humo que era evidente que podía hacerlo.

El oficial Rebolledo asintió y aceptó el cigarrillo que le ofreció alargando el paquete hacia él. Repitió la invitación a los demás y todos agarraron uno.

Prendió su cigarrillo y apoyó la espalda en la silla, esperando que empezara el interrogatorio. Pero los canas estaban cansados del tema. Por un momento todos lo miraron como si no supieran para qué diablos estaba ahí.

–¿Quiere que haga un tereré? –le preguntó a Rebolledo el mismo canita joven que le había llevado la citación.

–Dale. A ver si nos espabilamos un poco. Este asunto no nos deja pegar un ojo –dijo dirigiéndose a Tamai.

–¿No se sabe quién pudo ser?

Rebolledo soltó una carcajada.

–Por las declaraciones podría haber sido cualquiera. Lo único que tengo claro es que yo no fui. Y Mamani tampoco porque estaba conmigo –volvió a reír señalando a otro de los oficiales.

Chupó el mate que le alcanzó el canita. Le dio varios sorbos hasta que hizo cantar la bombilla. Cuando se lo devolvió y cebó otro el chango lo miró y señaló a Tamai, pidiendo autorización para convidarlo uno. Rebolledo respondió con un ademán del brazo, como diciendo: pero dele, mi hijo.

Tamai aceptó el mate. Tenía agua helada con un poquito de limón, estaba rico y se agradecía en una mañana tan calurienta.

–Bueno –dijo Rebolledo–. Vamos a empezar o no terminamos más.

Agarró una hoja en blanco de una pila que había sobre el escritorio y la metió en el rodillo de la máquina; la emparejó y ajustó, y comenzó a tomarle la declaración.

La mañana que siguió a la madrugada del asesinato de Miranda, el barrio estaba revolucionado. Apenas Celina se levantó y se asomó al patio, el vecino se acercó al tejido que dividía los terrenos, como si hubiese estado esperando que se despertara, para ser el primero en darle la noticia.

–¿Vio lo que pasó, Celina?

–No. Todavía tengo las sábanas pegadas y ya me viene con un chisme –dijo ella sonriendo.

–Qué va. Ojala fuera chisme nomás.

El tipo le dio una chupada al mate que tenía en la mano. Celina frunció el ceño.

–¿Por qué? ¿Qué pasó?

–Una desgracia.

Celina miró a su alrededor y sí, el barrio estaba distinto. Había grupos de mujeres conversando en la calle y la vereda. Mucho movimiento.

–Qué...

–El Elvio Miranda, vecina. Le han matado como a un perro.

Ella sintió que se le helaba la sangre e instintivamente miró hacia su casa, hacia la habitación donde su marido seguía durmiendo.

–No puede ser –dijo.

–Es. Desgraciadamente, es. Pobre la señora, tan buenita.

–Pero ¿cómo fue? ¿Cuándo?

–Esta madrugada. Parece que le esperaron en la calle, le pegaron unos tiros y después... –y el hombre, sin completar la frase, se pasó el dedo índice, en sentido horizontal, delante del cuello.

Celina ahora sintió que también se le revolvía el estómago. Se apoyó en un árbol.

–¿Se siente bien? –dijo el vecino dejando el mate y amagando pasar por sobre el tejido de alambre.

–Sí... es que... es una noticia tremenda. Se me bajó un poco la presión. Ya... ahora me voy a recostar.

–Vaya. Cómase una cuchara de azúcar, hija, eso le va a volver el alma al cuerpo.

–Sí. Está bien. Gracias.

Celina caminó despacio hasta la casa, sentía que estaba pisando sobre algodones. La horrorizaba el asesinato del vecino, pero más la horrorizaba la idea espantosa que se le había cruzado por la cabeza.

Entró en el dormitorio, que estaba a oscuras, el aire cargado con el olor de los cuerpos dormidos. Era verdad que se le había bajado la presión, así que se recostó despacito sobre la cama. Todavía no quería despertarlo al marido. Tenía que pensar muy bien qué iba a decirle. Debía andar con mucha cautela si quería que él le dijera toda la verdad.

Con la vista clavada en el techo, trató de repasar los sucesos de la noche anterior.

Tamai había salido, como siempre, después de cenar. Se había ido en la bicicleta. Ella había limpiado la cocina y después se había sentado afuera. La Sonia la ayudó a sacar el televisor y las dos vieron la novela y después el noticiero. Pajarito se fue a jugar a las maquinitas con los compinches, y los changos más chicos estaban jugando en la calle. Cuando terminó la programación, la mandó a la Sonia a buscar a sus hermanos y los metió a todos en la cama. Les puso un espiral y acomodó el ventilador para que todos recibieran un poco de aire.

Después volvió al patio y se sentó a hojear una revista que le había prestado una vecina. Fumó un cigarrillo. Como a la hora volvió Pajarito y entonces se fueron a dormir.

Le costó conciliar el sueño, por el calor. Pero finalmente se durmió y ni siquiera lo sintió al esposo cuando se acostó a su lado. Había seguido de largo hasta esa mañana. No tenía idea ni a qué hora ni en qué condiciones había vuelto Tamai.

Prendió el velador de su lado y observó al hombre que dormía profundamente. Se acercó y lo olió. Tenía un poco de olor a bebida, pero no más de lo habitual. Se levantó y buscó la ropa que él se había sacado y dejado en el piso, a los pies de la cama. Acercó las prendas a la luz y las inspeccionó detenidamente. No había nada raro.

Dejó la ropa y se sentó en el borde de la cama y apagó la luz. En la oscuridad, el corazón le dio otro vuelco: ¿realmente pensaba que Tamai era capaz de matar a alguien?

Marciano tuvo a su primer hermanito cuando tenía cinco años. Estela, recordando a la vieja enfermera que la había atendido en el parto anterior, lo llamó Ángel, y el bebé hizo honor a su nombre pues casi no se lo escuchaba. Más de una vez, la madre tenía que levantarse de la máquina de coser e ir hasta la cuna y todavía inclinarse sobre él para comprobar que respiraba.

Le gustaba que sus hijos fuesen bien distintos, aunque los dos fuesen varones. Marciano siempre había sido inquieto y llorón, y este era un verdadero angelito.

En cuanto a Marciano, no sabía bien si lo quería o no. Antes, echaba de menos no tener un hermano porque todos los del barrio tenían uno y hasta varios. Él era único hijo y le daba un poco de envidia que los otros tuviesen con quien jugar y hasta pelearse; él, en cambio, tenía que esperar que algún vecino se dignara a darle bola para cualquiera de las dos cosas: el juego o la pelea.

Mientras el crío estuvo adentro de la panza la llevó bastante bien: no sabían si era una nena o un varón, y aunque la mamá quería una hembrita, él, secretamente, esperaba que fuese un chango igual que él para compartir más cosas y poder enseñarle todo lo que iba aprendiendo. Tenía amigos con hermanos mayores y siempre hablaban de ellos con admiración, como si por el hecho de haber nacido antes fuesen más importantes.

Sin embargo, de vez en cuando le agarraba algo adentro que no sabía explicar y pensaba que cuando su hermano naciera, él se iba a morir. Durante esos ratos, sacaba todos los soldados, indios, autitos, todos los juguetes que tenía, y los alineaba en el patio y después se echaba de panza y los miraba uno por uno, como despidiéndose.

Recién el día que fueron con el papá al hospital a conocer al hermanito, Marciano cayó en la cuenta de que ya no sería él solo en la casa y de que eso no le gustaba.

Apretó más fuerte la mano del papá, apenas traspusieron el arco de entrada al viejo edificio y empezaron a caminar por el suelo cubierto de piedritas. Más, cuando entraron y sintió el olor a remedios, y vio las paredes de azulejos. Otro poco más cuando transitaron el pasillo y, desde las habitaciones con las puertas abiertas, le llegó el sonido de toses y carrasperas, algún llanto de niño, el quejido de un viejo. Y le enterró las uñitas cuando se cruzaron con la primera enfermera. Allí Miranda decidió llevarlo a upa, así que Marciano le rodeó el cuello con los brazos con tanta fuerza que casi lo ahorca.

Le tenía pánico al hospital. Cada vez que habían ido a ese lugar, no había sido para nada bueno: vacunas, jarabes, pinchazos, y hasta un yeso en el brazo luego de una caída el año anterior. Todavía el recuerdo de la quebradura estaba demasiado fresco. Si su hermano venía de este sitio, no podía esperarse nada bueno.

Los padres creyeron que, con el tiempo, Marciano iría sofocando los celos hacia su hermano. Pero sus sentimientos se contradecían todo el tiempo: a veces sentía un amor incontrolable por el recién nacido y, otras, las mismas incontrolables ganas de arrojarlo contra el piso. A veces quería que creciera rápido para llevarlo al canal a pescar, y otras que creciera rápido para llevarlo al canal y ahogarlo.

Al año y medio de Angelito, Estela tuvo a las mellizas y ahí sí, cartón lleno, decidió ligarse las trompas.

La llegada de las nenas mejoró un poco la relación de Marciano y Ángel. De Marciano, en realidad, pues Ángel todavía era chiquito y lo único que tenía por su hermano eran sentimientos de amor incondicional.

A la edad que tenía, siete años, las mujeres eran la peor peste para Marciano; así que le encontró el lado bueno a tener otro hermano varón: hacerles frente, ser dos contra dos, no estar en desventaja.

De todos modos, siempre andarían desencontrándose. Marciano quería a Angelito, pero adoptaba una actitud distante y severa hacia él, como si nunca estuviese conforme, como si siempre esperara más del chango. Y Angelito, todo el tiempo intentaba caerle en gracia y terminaba desconcertado por las reacciones de su hermano mayor.

Con la muerte de Miranda, la distancia se acrecentó. Marciano sentía que él debía ocupar el lugar de su padre y la severidad natural con que trataba a su hermano, se hizo más honda: como si de él, un niño de solo doce años, dependiera el futuro del otro.

Tres horas después de haber entrado a la oficina donde le tomaron la declaración, Tamai volvió a poner el pie en la calle polvorienta, abrasada por el sol de mediodía. Prendió un cigarrillo y caminó buscando la sombra petisa de las patas de buey que crecían en la vereda. Las copas estaban cargadas de flores blancas.

La muerte de su rival de todos esos años lo había desconcertado. Nunca se había imaginado un final así. La muerte del otro lo hizo tomar conciencia de su propia muerte. Ahora veía más probable un final violento.

Aunque los dos se habían amenazado infinidad de veces, nunca había estado en su ánimo asesinar a Miranda y creía que su vecino tampoco hubiese sido capaz de matarlo a él.

Quizás alguna vez, en esos momentos en que el odio lo enceguecía, había pensado en verlo muerto. Pero ahora que había sucedido, le parecía una mala jugada. Algo que el destino le había hecho a él, aunque el muerto fuese el otro.

Su vieja inquina con Miranda era una reafirmación de sí mismo. Las malas pasadas que se iban jugando a vuelta, le ponían sal a su vida. ¿Qué iba a hacer ahora que se había quedado solo?

La policía insistió, más por formalidad que por convencimiento verdadero, en los testimonios de los vecinos que lo ponían a Tamai en la lista de sospechosos. Frente a la mirada enrojecida de cansancio de Rebolledo y a los bostezos de los demás oficiales, tuvo que rememorar todas las veces que Miranda y él tuvieron una disputa. O casi todas: eran tantas que se le mezclaban.

Los lengua suelta de los vecinos habían detallado cada episodio y cuando él dudaba, cuando se le hacía como una nube en la cabeza, Rebolledo o alguno de sus ayudantes, buscaba entre los papeles y le refrescaba alguna situación en particular.

–Qué hay de la vez que Miranda te robó el chivo... dice acá: antes de una navidad.

¡El chivito! ¡Qué hijo de puta! Tamai se dio un golpe en la frente y se rió. Esa cascarria de Miranda había esperado que él matase y cuerease al chivito, hasta que lo adobara si se acordaba bien. Había salido a comprar leña para hacer el fuego y cuando volvió, bastante tarde pues es cierto que se había entretenido en un bar, la mesa del patio adonde había dejado al animal listo para echarlo en la parrilla, estaba vacía. Desde la otra punta de la cuadra, le había llegado el olorcito de la carne que empezaba a asarse. Sí, justito antes de navidad. La Celina se había ido con los changos a ver el pesebre viviente y la casa había quedado sola y el vecino había aprovechado.

Se había llegado hasta la vereda de Miranda.

Hijunagranputa, le había gritado. El otro, iluminado por las llamas, levantó un vaso y le respondió: feliz navidad, vecino.

–¿Lo amenazaste entonces?

–Y qué le parece... si tuve que salir cagando a comprar unos pollos antes que volviera mi mujer.

–Dice acá que una vez trataste de prenderle fuego a la casa de Miranda...

–No, señor, eso no fue así. No, no.

–¿Y cómo fue, a ver?

–Eso fue un accidente.

Una madrugada, él volvía a su casa bastante picado. No va que pasa frente a lo de su vecino y ve que el otro había estado quemando ladrillos. Quedaban algunas llamitas moribundas. Ese verano había una seca espantosa. En el fondo, Miranda tenía varios metros de pastizal reseco. Tamai pensó en darle un susto. Prendería fuego los pastos y cuando hubiesen agarrado llama daría la voz de alarma y se quedaría en la calle viendo cómo el otro salía en calzones a apagar el incendio. Se iba a reír de lo lindo.

Así como lo pensó, lo llevó a cabo. Pero resulta que Miranda estaba por ahí, jugando al mus en el Imperio o vaya a saber dónde, y la señora se pegó un susto bárbaro y llamó a los bomberos. No fue nada. Si hasta le hizo un favor y le limpió el sitio, con esos pastizales debía estar lleno de víboras. Algún chismoso lo vio y dijo que le había querido incendiar la casa. Todas macanas.

–Al otro día, dice acá, vos y Miranda se agarraron a piñas en la calle y todos escucharon que se amenazaron. "Te voy a cortar el pescuezo", dice acá el testimonio que vos le dijiste.

Tamai movió la cabeza.

–Cosas que se dicen sin pensar, oficial. ¿No dice el testimonio qué me dijo él?

–Eso no importa, Tamai, porque él está muerto.

Tamai chasqueó la lengua.

–Si vamos a poner las cosas así... –murmuró.

–Acá dice también que tuvieron una pelotera en una carrera de galgos... otra en el club de caza y pesca el día del trabajador, hace seis años... pelea con botellas rotas en un baile de carnaval... vos le robaste mil ladrillos y los vendiste como propios, dice otro... se agarraron en un partido de fútbol de los changuitos de la escuela 11... en el Imperio... en la boite Titop... –Rebolledo pasaba papeles y más papeles y todos tenían algo que decir. Resopló y se pasó una mano por la cara sudada–. Ustedes dos no tenían paz, chamigo.

–Puede ser. Pero yo no le maté.

El oficial se tiró para atrás en la silla de cuerina que crujió con su peso y se enlazó las manos sobre la panza.

–¿Dónde estuviste esa noche?

–En La Boyita, el pool que está a la salida. Estuve ahí hasta las cinco de la mañana. Un compinche me llevó a mi casa en su auto porque estaba medio en pedo. Pregunte. Éramos unos cuantos... alguno se debe acordar.

Cuando Tamai abandonó la comisaría, Rebolledo se paró y se puso las palmas atrás de la cintura y se estiró haciendo sonar la columna. Los demás se habían ido a comprar comida, solo quedaban él y el canita joven.

Rebolledo caminó hasta una ventana que daba a un patio interno, de cemento. Algunos malvones, negros por tanto azote del sol, se retorcían en los canteros de ladrillo. La imagen lo deprimió. Nélida, la vieja que atendía el teléfono y trapeaba la comisaría una vez por semana, podría ocuparse de mantener el pequeño jardín, pensó. No le costaría nada, en vez de andar en la vereda ventilando todo lo que pasa adentro de la comisaría. No costaría nada tener algunas plantas, un poco de verde, algo amable a la vista a través de esa ventana.

Meneó la cabeza.

–¿Usted se piensa que fue él, señor?

La voz quebrada del canita lo sobresaltó.

–¿Eh?

–Si Tamai le mató a Miranda...

–No. No creo...

–Pero por lo que dicen los testimonios siempre andaban buscando roña...

Rebolledo se encogió de hombros.

–Puteríos. No digo que no sea cierto todo lo que se dijo y está ahí en los documentos... Tamai tampoco lo negó. Pero no creo que haya sido él. Yo le conozco, un montón de veces le trajimos acá por andar armando quilombo. Pero no fue él. Tamai es un indio cascarria, pero no mataría a nadie de esa manera. Si me decís, fue en una pelea en un bar, una puñalada, en público, te creo. Pero así como le han matado a Miranda, no, no, señor.

Caminó hasta el ventilador de pie que hacía de refuerzo al de techo, lo trabó para que quedara fijo, y puso la cara frente a las aspas.

–Andate enfrente y traete una Coca. Después agarrá la lista de nombres que nos dio Tamai y llamalos para que vengan esta misma tarde. Sobre todo al dueño de La Boyita y al compinche que dice que le arrimó en el auto.

El canita asintió varias veces y salió con el tranco largo. Rebolledo cerró los ojos y el viento le fue secando la cara humedecida.

Pobre Estela, pensó. Se conocían desde chicos, habían ido juntos hasta quinto grado, después él repitió y se quedó atrás. De jovencitos también le había arrastrado el ala, aunque ¿quién no?: era la chica más linda y más simpática... pero ella nunca le dio bola, siempre le salía con lo de la amistad y el nos conocemos desde que somos así, sos como un primo para mí... esos bolazos que dicen las mujeres cuando no quieren saber nada con uno.

Él no era el mejor partido, pero a Estela le llovían los candidatos: jóvenes, viejos, hasta ingenieros de las desmotadoras y gringos dueños de campos. Y no va que ella, de entre todos, se queda con Miranda. El Elvio siempre había sido pintón y entrador con las mujeres, pero mirá que ir a metejonearse justo con el Elvio Miranda... y mirá cómo terminó la cosa, pobre Estela, viuda y con los hijos chiquitos todavía.

Pajarito siente que se le bajan las persianas. Respira con dificultad, tomando pequeñas bocanadas de aire, como si estuviera adentro de una habitación hermética y tuviera que dosificar lo poco que queda de oxígeno. Pestañea varias veces y trata de mantenerse despierto. Mueve los ojos para un lado y para el otro, a ver si se espabila.

¿No va a venir nadie, la puta madre? ¿Lo dejaron tirado, conchudos de mierda?

Las fosas nasales le tiemblan; tiene unas ganas bárbaras de gritar, pero sabe que no puede.

–¡Chaque el tiro!

Tiene doce años y dos pistolas de plástico en las manos. Él y sus compinches juegan en uno de los baldíos cerca de la casa: juegan al robo del banco de la provincia. Si no lo dejan ser el pistolero, Pajarito no juega. Y como las pistolas son suyas, nadie puede decirle que no.

Pusieron unos cajones de fruta que hacen las veces de mostrador. Atrás, dos compinches cuentan papeles como si fueran billetes. A un costado, unas cajas de cartón sirven para armar la cabina donde está el guardia de seguridad. Unos changos más chiquitos hacen de clientes. Cuando la escena está lista, llegan desde la calle, corriendo y gritando, Pajarito y sus secuaces. Él viene primero y hace como que patea las puertas de vidrio del banco. Tiene las dos pistolas en las manos y apunta a un lado y a otro, gritando que se tiren todos abajo. Los dos cómplices, cada uno con un pedazo de madera a modo de pistola, van hacia las cajas con unas bolsas de nylon a exigir el dinero. No va que un distraído se mete en el banco. Pajarito reacciona con violencia, se da vuelta, y le dispara varios tiros cerca de los pies.

–¡Chaque el tiro! ¡Chaque el tiro! –le gritan los otros al recién llegado, que se desmaya por la impresión.

Cuando llenan las bolsas con la plata, salen a la calle. Aunque actuaron rápido, está llegando la policía. Allí es donde Pajarito se luce y mientras corre para atrás, hacia el coche que los espera en la esquina, tirotea a la policía, tira con las dos pistolas al mismo tiempo, igual que en las películas.

Sonríe y le vuelve a retumbar en la cabeza el sonido que hacían con la boca para simular los disparos. De ahí los tres corrían y se internaban en un montecito que había atrás del barrio y los que hacían de policías los perseguían: el juego podía durar horas hasta que los atrapaban.

El robo al banco de la provincia había sucedido tal y como lo reproducían los changos. Jugar a robar el banco fue el juego de moda todo ese año y todos querían ser el hábil ladrón que podía disparar dos pistolas a la vez.

Qué lejano le parece todo ahora.

La primera vez que agarró un arma de verdad, se dio cuenta lo pesadas que son y se acordó del bandolero y renovó su admiración de nene, pues había que tener muchísima habilidad no solo para sostener un arma en cada mano, en lo alto, sino para hacerlas funcionar.

A él nunca le gustaron las armas de fuego; siempre prefirió el arma blanca: liviana, certera. Si un día iba a matar a alguien, quería que fuera cuerpo a cuerpo.

Una navaja es casi la continuación de la mano que la sujeta: debe sentirse cómo se va la vida del otro por el tajo, la sangre enemiga chorreando hasta el mango y humedeciendo la mano que empuña el arma.

Ahora lo sabe. Ahora sabe cómo es la cosa de los dos lados: apuñalar y ser apuñalado.

–Papá...

Marciano siente que algo empieza a desvanecerse en su interior.

–Papá, no me dejes... –balbucea con lágrimas en los ojos.

Su padre sigue ahí, sentado en el barro, sosteniéndolo sobre la falda. Pero no lo mira. Está mirando lejos de nuevo, como hace un rato, cuando le hablaba de Entre Ríos. Como cuando estaban en el bote con Antonio, aunque la expresión que tiene ahora el rostro de su padre no es de arrobamiento como aquella vez. Ahora tiene una expresión sombría.

–Papá...

No lo atiende, como si estuviera muy lejos de allí o preocupado por otras cosas.

–¡Papá! –grita y siente que le sube un gusto a vómito, el sabor ácido de todos los porrones que se tomó esa noche.

Entonces Miranda agacha la cabeza y el mentón barbudo oculta la cicatriz del cuello. Lo mira, pero tiene los ojos espantados.

–Te fallé, papá. No los encontré. Nunca pude agarrarlos.

Su padre lo mira y frunce el ceño. Lo mira, torciendo la cabeza, como extrañado por la situación.

–No hablés –le dice–. No hablés. Vos estás muy mal, chango. Qué macana –dice, desviando la vista.

Vuelve a mirarlo y le da unas palmaditas en la mejilla.

–¿Cómo te llamás, chango?

–Soy tu hijo, papá. Soy Marciano.

Miranda sonríe.

–No... qué decís, chango. Cómo vas a ser mi hijo. Mi hijo es chiquito. A esta hora está durmiendo en su cama, en la casa, con la mamá. Y yo también tengo que entrar a irme. Mi mujer es buena, pero tiene su carácter. Es brava cuando se enoja. Si no me voy ahora, me va a dejar durmiendo afuera.

–No me dejes.

El hombre se queda pensativo. Parece que a él también se le fuera desvaneciendo algo adentro. Mira para un lado y para el otro. Levanta la vista al cielo blanco. Se pasa una mano por la cara.

–Escuchame, chango. Oíme bien lo que te voy a decir. Yo no te quiero mover de acá. Estás malherido y a ver si la embarro peor. Vos quedate tranquilo. Quietito. Yo voy a ir a buscar ayuda. Quedándome acá no solucionamos nada.

–No te vayas.

–Chito. Quedate tranquilo. No te muevas. Yo no te voy a dejar de a pie, ¿me oíste?

Le apoya cuidadosamente la cabeza en el suelo. Marciano siente la humedad a través del cabello. Lo ve ponerse de pie, aunque todavía con el torso inclinado sobre él.

–Tranquilo. Ya vuelvo, chango, ya vuelvo.

–No te vayas, papá. No me dejes solo.

Después de enterrar a Miranda, Estela volvió a su casa con sus hijos. Aunque la Señora Nena insistió en que se fueran unos días con ella, para no estar solos y cambiar de aire, le dijo que no. Tarde o temprano tendrían que volver porque tenían casa, la casa donde habían vivido con Miranda todos esos años. Además de la casa, la ladrillería. No podían simplemente darle la espalda a todo y empezar otra vida.

La vida seguía para siempre sin Elvio Miranda, esposo amante y padre de sus hijos. Y ella tenía que ver cómo se organizaba.

Por eso, mejor, después del cementerio volver a la casa. Todos tenían que resignarse y acostumbrarse a que Miranda estuviese muerto y mejor empezar cuanto antes.

La Señora Nena hubiese preferido que la acompañaran un tiempo, incluso que se mudaran con ella para siempre. Tenía una casa grande y vacía y estaba envejeciendo más rápido de lo que había pensado. Pero conocía a Estela, como que la había criado de chiquita, y sabía que cuando se le ponía algo en la cabeza, mejor dar un paso al costado.

Así que luego de tirar unos puñados de tierra seca sobre el cajón y de echar unas flores de santa rita adentro de la fosa, Estela tomó de la mano a sus hijos y los hizo retroceder un poco para que los enterradores comenzaran su trabajo. Se quedaron hasta que el pozo se llenó completamente de tierra y la tumba tomó la apariencia de una lomita. Los mismos empleados pusieron una cruz provisoria, de madera. En la semana, la viuda se encargaría de elegir la losa, el adorno funerario, alguna plaquita. Por el momento, ella y los changuitos acomodaron las coronas y los ramos que había llevado la gente.

Después de dejar a Miranda protegido por la sombra de las palmas y los helechos y las cintas violetas que completaban los arreglos florales, Estela volvió a tomar a sus hijos de la mano y los cinco caminaron por las veredas angostas hasta la salida, donde los esperaban la Señora Nena y algunos allegados.

Saludaron, agradecieron y subieron al coche de la madrina que los llevó hasta la casa.

–¿En serio no querés venir a mi casa, mi hija?

–No, madrina.

Con las manos sobre el volante, la Señora Nena asintió, comprensiva.

–Está bien. Siempre vas a tener las puertas abiertas, ¿me oíste?

Estela le dio un abrazo y sintió que se le humedecían los ojos. No quería quebrarse. Tenía que estar entera para cuidar a sus hijos. Más tarde, cuando se quedara
sola en la cama, podría llorar tranquila.

–Gracias, madrina. Chaucito. ¿Vamos, hijos?

Se bajó y abrió la puerta trasera y los ayudó a salir del
auto. Cuando estuvieron todos abajo, la madrina arrancó y se perdió en la polvareda.

–Yo quería ir con la madrina –dijo una de las mellizas–: la casa de ella es tan linda. ¿Por qué no nos muda-
mos allá?

–Esta es nuestra casa.

–Pero, mami, la madrina tiene el aire en todas las
piezas y acá nos morimos de calor.

Estela abrió el portón y se hizo a un lado para que en-
traran los changos. Las mellizas pasaron de mala gana,
arrastrando los pies, como si esperasen que la madre cam-
biara de opinión. Ángel, que venía detrás de las hermanas, les dio un empujón para que se apuraran. Marciano
entró el último. Tenía los puños y los dientes apretados.
A Estela le partía el corazón verlo tan rabioso y dolorido,
tan chico todavía, por qué tenía que pasar por todo esto.

Estaba atardeciendo. Se sacaron las ropas de salir y
se quedaron con prendas más cómodas y frescas. Estela
les preparó una chocolatada fría y un mate para ella y se
sentaron todos en la mesa del patio.

Hacía algunos años habían comprado la mesa larga de algarrobo con sus seis sillas y habían instalado el juego bajo la enramada. Debido al calor que se extendía casi todo el año, la vida de todas las familias pasaba más en los patios que en el interior de las casas.

Mientras tomaba un mate, Estela no pudo evitar clavar la vista en la única silla vacía alrededor de la mesa. En realidad, era común que esa silla permaneciera vacía pues Miranda no era de quedarse mucho en la casa. Solamente durante el almuerzo estaban todos juntos. Apenas caía el sol, él se bañaba, se cambiaba y salía para el centro a encontrarse con los compinches, con la junta de los bares y el juego.

Pero esta vez era diferente. Esa silla ya no iba a ser nunca más ocupada por Miranda.

Marciano, que le daba vueltas a la leche con la cuchara sin decidirse a beberla, siguió la dirección de la vista de su madre. Él también, de reojo, había estado mirando la silla sin animarse a hacerlo directamente. Nunca más vería a su papá.

Las mellizas y Angelito empezaron a discutir por el nombre de un personaje de la tele. Que se llama así, que no, que sí, que no es ese, que es el otro, que qué te juego.

Estela los dejó. Mejor que peleasen antes de que estuvieran tristes. Pero Marciano se puso furioso y azotó el vaso de leche contra el tronco de un árbol. Se lo había tirado a los hermanos, para que se callaran, pero apuntó demasiado alto y les pasó por encima de las cabezas, sin llegar a derramarse hasta que se estrelló contra el árbol en una explosión de líquido y vidrios rotos.

–¡Cállense, paspados! –gritó y se puso de pie y los miró resoplando y después salió corriendo.

Las mellizas se pusieron a llorar.

–¿Qué le pasa a mi hermano, mamá? ¿También se va a morir? –preguntó Angelito haciendo esfuerzos para no acompañar el coro de berridos de las hermanas.

–No, hijo... no digas eso. Déjenlo, pobre, ya se le va a pasar.

Celina no se atrevió a ir al velorio de Miranda. Le hubiera gustado tener el valor de hacerlo: estaba apenada por lo sucedido y, además, no podía apartar de su cabeza la idea de que el muerto podría haber sido su marido, que ella podría estar en el lugar de esa pobre mujer que ahora se quedaba sola para criar a los hijos.

Aunque ella y Estela nunca habían participado de la ojeriza que se tenían Miranda y Tamai, nunca se habían involucrado abiertamente, lo cierto es que, para sí, cada una culpaba al marido de la otra de la disputa que los tenía permanentemente enfrentados.

A veces se cruzaban en algún comercio del barrio o en las reuniones de la escuela pues Pajarito y Marciano iban al mismo grado, pero nunca se dirigían la palabra y actuaban como si la otra no existiese.

Las dos eran mujeres educadas y jamás se habrían trenzado en una pelea como más de una vez sucedía en el barrio: dos mujeres agarrándose de los pelos, en la calle, por líos con los maridos o con los hijos. Ni siquiera habrían llegado al intercambio de insultos, algo por demás corriente entre el resto de las vecinas.

Alguna vez, cada una por su lado, había pensado en hablar con la otra, ver de qué manera podían, entre las dos, solucionar los entuertos de sus hombres. Pero cada una había descartado rápidamente la idea: tanto Miranda como Tamai eran capaces de cualquier cosa si se enteraban de las intenciones de amigarlos.

A las dos las tenía sin cuidado que ellos estuviesen peleados, pero les molestaba que involucrasen a las familias en sus peloteras. No lo hacían de manera directa: jamás ninguno de los dos había tenido palabras o gestos agresivos para con la señora del otro ni para con los hijos, pero de un modo u otro todos terminaban afectados.

La mañana en que Celina se anotició de la muerte del vecino, estuvo un rato largo sentada en el borde de la cama, sin decidirse a despertar a su esposo.

Tamai roncaba, en el séptimo sueño, boca arriba y, a lo sumo, pegaba un manotazo para espantarse alguna mosca de la cara.

Si hubiese hecho algo malo, no podría dormir tan tranquilo; se consolaba Celina. Pensó en cuál sería la mejor manera de contarle lo de Miranda y poder sacar sus propias conclusiones.

Por ahí tendría que llamarlo, mandarlo a darse un baño, cebarle unos mates, asegurarse de que estuviera bien despierto y ahí sí, darle la mala nueva y ver qué cara ponía.

O no, en una de esas, era mejor no darle tiempo, agarrarlo desprevenido, soltarle todo el cuento de una vez, y ver cómo reaccionaba.

Estaba tan absorta pensando en qué era lo correcto, que se sobresaltó cuando Tamai la agarró de los hombros y empezó a besuquearle el cuello. No se había dado cuenta de que estaba despierto.

El marido le lamió la oreja y le desprendió el vestido, abotonado por delante. Le acarició las tetas con una mano y bajó con la otra hasta la juntura de las piernas, hasta el tajo que se abrió, húmedo y tibio. Tamai la levantó y se sentó en el borde de la cama, le arrancó el vestido, y mientras movía los dedos en el interior de la concha, le hizo inclinar la espalda para tironearle los pezones con una mano, primero uno, después el otro, como si la estuviese ordeñando. Y bajó con la lengua tiesa por la canaleta del culo.

Cuando Celina empezó a temblar, la agarró por las caderas y la sentó de golpe sobre la verga dura. Ahora sí, con las dos manos disponibles, le amasó las tetas, se las juntó por delante, los pezones frotándose, y después se las tiró para atrás y metió la cara debajo de sus sobacos para alcanzarlas con la lengua.

Celina, por su parte, pegaba saltitos cortos, acompañando los movimientos del coito.

Una vez que terminaron, ella buscó una toalla de mano y se limpió la entrepierna. Después se acostó al lado de Tamai y le pasó la misma toalla para sacarle la guasca adherida a la pelambre. Él le acarició el cabello y entrecerró los ojos, dispuesto a hundirse en el descanso del guerrero.

Pero Celina lo sacudió y lo obligó a abrirlos y mirarla.

–¿Vos le mataste a Miranda? –preguntó.

La segunda noche sin Miranda era la primera en su casa, en la cama que habían compartido durante más de doce años. A la anterior la había pasado en la sala velatoria. Debido a las condiciones de su muerte y, aun abreviados los trámites judiciales que supone un asesinato, gracias a las diligencias de Rebolledo y el comisario, recién le habían entregado el cuerpo a la tardecita. El velorio se había extendido desde esa noche hasta la tarde siguiente, cuando lo sepultaron.

Cuando se puso el camisón y se tiró sobre la cama, Estela llevaba casi dos días sin pegar un ojo. La policía la había levantado, a la madrugada, para comunicarle la desgracia y a partir de allí se había mantenido en pie. Los changos durmieron unas horas en la sala: las mellizas en un sofá; a Angelito le improvisaron una cama juntando dos sillas. Marciano no había querido, pero, en algún momento, a él también lo rindió el cansancio y se durmió sentado.

La madrina y las otras mujeres –vecinas, parientas– que la acompañaron desde que trajeron el cuerpo, le habían insistido para que se recostara un rato, incluso para llevarla a la casa, pero Estela no quiso saber nada. Ni a fuerza de pistola iba a dejarlo a su marido allí, solito. Por su parte, ella también les había insistido para que se fueran a descansar y volvieran a la mañana, sobre todo a las mujeres mayores, pero ninguna había aceptado. Aunque cabecearan en las sillas, ninguna abandonaría el velorio, como si fuera una competencia a ver quién aguantaba más.

Solamente se había separado del cajón para ir al baño, vigilar el sueño de sus hijos y, en un momento en que se había juntado tanta gente que los ventiladores no dieron abasto y entre el humo de los cigarrillos, el olor de las flores y el encierro, sintió que se le aflojaban las piernas y tuvo que salir a tomar aire.

La madrina la había sacado de un brazo, sola, rechazando la ayuda de las demás, y, ya en el patio, los que esperaban para entrar y darle el último adiós a Miranda, habían desalojado uno de los bancos de plaza para que ellas pudieran sentarse. Algunos habían hecho el amague de acercarse a ver si podían ayudar, pero la Señora Nena los había espantado moviendo las manos aparatosamente, como si fueran palomas lanzadas sobre un trozo de pan.

Estela se había recostado en el respaldo de madera y había levantado la cara a la copa del árbol que daba su sombra al banco. Se había quedado mirando las hojas y, por los huecos que dejaba el follaje, el cielo, la luz del sol de las primeras horas de la mañana.

La madrina se había deslizado hasta la otra punta del asiento y había encendido uno de esos cigarritos cortos y olorosos que le gustaba fumar. Se había alejado para no molestarla a Estela con el humo. Pero la ahijada estiró el brazo buscándole la mano, sin dejar de mirar hacia arriba. La Señora Nena enlazó sus dedos a los de la otra y se quedaron así, agarradas de la mano, en silencio. La vieja echaba humo y abortaba con la fiereza de sus ojos toda intención de acercamiento de los que andaban por ahí, dando vueltas, con ganas de venir a dar el pésame o a conversar.

No fueron más de diez o quince minutos, pero a Estela le hizo bien estar un ratito alejada del resto, con la mente en blanco, la vista clavada en las hojas quietas.

–¿Vamos, madrina? –dijo cuando se sintió lista para volver.

–Bueno, mi hija. Como vos quieras. ¿No querés que nos quedemos un ratito más? ¿Querés que te traiga algo para tomar?

–No... ya estoy bien.

–¿Segura, mi hija?

–Sí, mejor entremos.

La madrina le acarició la mejilla y Estela movió la cara, hundiendo la nariz en la palma de la vieja: tenía olor a tabaco y a ese perfume dulzón que usaba siempre.

–Vamos, vamos.

Se pararon y caminaron de regreso.

Se había juntado un montón de gente. La madrina le rodeó el hombro y se abrió camino entre la romería que murmuraba al paso de la viuda.

En la cama, Estela acarició el lado vacío de Miranda. Dio vuelta la almohada matrimonial y apoyó la cara en el mismo sitio donde, durante tantas noches, reposara la cabeza del esposo. Tenía su olor. Lo que empezaría a ser, esa noche, el recuerdo de su olor.

Recién cuando pasaron algunos días desde que Tamai fuera citado a declarar y viendo que no volvían a llamarlo, Celina empezó a tranquilizarse, a darle crédito a la palabra de su esposo.

Por más que él le había jurado por su propia vida que no tenía nada que ver en el asunto, ella no terminaba de confiar. En el fondo no había llegado a responderse si lo creía capaz de matar a alguien. ¿Creía que no? ¿O quería creerlo?

Quizá Tamai, en sus cabales, no tendría el valor; pero su marido era de mala bebida y ahí ella ya no ponía las manos en el fuego. Algunas veces él había salido con un cuchillo en la cintura. Decía que porque se iba a comer un asado con los compinches y ella se quedaba con el corazón en la boca hasta que él volvía, temiendo lo peor.

Un hombre es manso hasta que el alcohol le nubla la cabeza y se presenta la oportunidad de hacerse el guapo. Ella lo sabía muy bien por todos los años que había trabajado en la fonda de su padre. Más de una vez había visto al indio más sumiso levantar el puñal contra un compinche, por una pavada. Más de una vez alguien había salido herido de esas cuitas, por más que su viejo tenía los reflejos rápidos y al menor disturbio los sacaba a la calle, estuviesen calzados o no. Su viejo no les tenía miedo, aunque sí tenía una cicatriz en un brazo, de una de esas noches en que sus parroquianos se salieron de madre.

Y Tamai no era justamente un tipo sumiso. Borracho le había dado sus buenas palizas a Pajarito y cuando ella había intervenido, también la había ligado. Si tenía las entrañas para golpear a un changuito como si estuviese pegándole a un hombre de su mismo tamaño, algo de maldad había. No decía porque le pegara a ella. Los hombres golpean a sus mujeres alguna vez en la vida. A eso también lo había aprendido. ¿Acaso su padre no la había agarrado con el cinto cuando le dijo que esperaba un hijo de Tamai? Pero pegarle a un changuito indefenso, ya era harina de otro costal.

Sin embargo, culpable o inocente, algo cambió tras la muerte de Miranda. Tamai se replegó cada vez más sobre sí mismo. Su carácter, de por sí sombrío, se fue oscureciendo. En la casa, casi no hablaba y cada vez se iba más temprano a buscar compañía en los bares. De trabajar poco, empezó a trabajar menos. Hasta parecía haber perdido el interés en hostigar a Pajarito.

Ya hacía un tiempo que Celina, disimuladamente para no herirlo en su orgullo, había empezado a tomar las riendas de la ladrillería. Como Tamai siempre andaba a media máquina con el trabajo, ella y el hijo mayor lo ayudaban a cumplir con los pedidos de los clientes. Al principio, él se enojaba y les andaba atrás, buscándole defectos a todo lo que hacían. Enseguida vio la conveniencia y hasta se puso en patrón, dando órdenes y supervisando el trabajo.

Después de la muerte del vecino, ni siquiera eso. Los miraba ir y venir acarreando tierra bajo el rayo del sol, pero ya ni se molestaba en ir a zumbarlos. Así que Celina decidió contratar a un hombre para que los ayudara.

Pensó que él pondría el grito en el cielo cuando le comunicara la novedad, pero no. Se encogió de hombros y por decir algo, por soltar un comentario típico de él en los viejos tiempos, desenterró una hilacha de cinismo y dijo:

–Ya que está, que te sirva en la cama también.

Ahora, con todo el trabajo resuelto y plata en los bolsillos pues la ladrillería había levantado cabeza desde que la manejaba su mujer, las ausencias de Tamai eran cada vez más prolongadas. A Celina se le cruzó que tal vez andaba enredado con otra; para el caso era lo mismo: a ella ya no le importaba.

Y una noche pasó lo que venía olfateando que pasaría tarde o temprano. Lo que, a decir verdad, deseaba que ocurriese de una vez y para siempre.

Los changos ya se habían ido a dormir y ella se estaba preparando para meterse en la cama. Estaba colgando unas ropas en el tendedero cuando lo vio llegar. Se sorprendió de que volviera tan temprano y pensó que vendría a pedirle plata, que habría perdido todo en una mano de cartas y había vuelto a buscar más para seguir jugando. Mentalmente, preparó la negativa.

Sin embargo, él sacó una silla de abajo de la mesa y se sentó. Le hizo señas para que ella se sentara también. Celina se alarmó, esperando siempre lo peor.

Tamai prendió un cigarrillo y se lo dio. Encendió otro para él. Estaba sobrio.

–Me voy –dijo.

Entonces Celina sintió que se le helaba la sangre.

–¿Qué hiciste? –preguntó.

Él la miró largamente. Los ojos amarillos de Tamai, que solo se encendían cuando estaban furiosos, destellaron en la oscuridad con un resto de tristeza.

–Nada –dijo, por fin.

Ella dio una pitada. Sintió un poco de vergüenza por lo que acaba de preguntar. Vergüenza y también pena por haberle perdido la confianza hacía tantos años.

–Perdoná... es que... –balbuceó.

–Dejá nomás –la atajó él con un gesto de la mano.

–¿Y cómo es eso... que te vas?

–Me enganché con unos compinches que se van a Mendoza, a cosechar papas. Salimos en un rato, en un camión que va para allá.

–Hace frío allá –dijo ella terminando el cigarrillo y pisando la colilla con la ojota.

–Así dicen.

–¿Y hasta cuándo te vas a quedar?

–No sé. Yo ya no me hallo acá.

Ella asintió. Él se paró y entró en la casa.

Celina lo siguió en silencio, no sabía qué decir. Lo vio agarrar un bolsito mediano y meter algunas ropas. Después abrió un cajón de la cómoda y sacó una caja de zapatos adonde guardaban los papeles y la plata. Sacó sus documentos y algunos billetes. Se los mostró a Celina, era una cantidad chica, y ella dijo que sí moviendo la cabeza.

–Despedime de los changos –dijo y cuando pasó a su lado le dio un beso en la mejilla.

–Cuidate, Tamai –dijo ella, con un hilo de voz, sin darse vuelta para verlo irse.

Hubo una época en que Pajarito Tamai y Marciano Miranda fueron amigos.

En las calles, los baldíos y las cunetas de los alrededores de La Cruceña, se juntaban todos los changuitos del barrio, se confundían y formaban un solo batallón de niños, sin importar su apellido y su procedencia. Pajarito, Marciano y los demás eran solo su nombre de pila o el apodo que le ponían los otros; la familia no era más que el sitio adonde se volvía a comer y dormir. A lo sumo, la familia era ser hermano de otro de los compinches o primo. Pero todo entre changos.

En una misma manzana vivía una veintena de chicos entre los tres y los doce años... los había más pequeños también, pero lo mínimo para ser aceptado en los juegos de la calle era poder caminar solo; si hablaba o podía hacerse entender, mejor.

Pajarito entró al grupo de la mano de su hermana Sonia. Él todavía no terminaba de largarse a caminar solo, pero Sonia, con tal de no tener que quedarse en la casa, lo arrastraba a todos lados, lo cargaba a upa y cuando se cansaba –ella también era chiquita– pedía ayuda a alguna amiga y entre las dos guiaban sus pasitos sosteniéndolo de los brazos.

A poco de llegar, Pajarito se convirtió en la mascota de la pandilla. Las nenas lo tenían de muñeco vivo: lo acunaban, lo disfrazaban, le daban de comer sus platos imaginarios, le servían el té. Y para los varones era el eterno prisionero atado al poste y el blanco de los chistes. Eso hasta que cumplió tres años y pudo defenderse tanto de las harpías amigas de Sonia, como de los changos más grandes, y empezar a participar de verdad en los juegos.

Ese período iniciático le había servido para curtirse y aprender a valerse por sí mismo.

Marciano, en cambio, entró de más grande. Con cuatro años bien cumplidos; sabiendo caminar, hablar y hacer pis y caca solito.

A Estela le costó dejarlo ir con los demás changos del barrio. Tenía miedo de que le pasara algo. Los otros eran más grandes y jugaban juegos brutos, subían a los árboles, se iban a pescar sin pedir permiso ni dar muchas explicaciones a las madres. Las otras mujeres tenían varios hijos y poco tiempo para preocuparse de dónde andaban los mayores. Para ellas era un alivio que desaparecieran unas cuantas horas seguidas. Fue Miranda el que se puso firme.

—Dejate de escorchar, Estela, dejalo al changuito que vaya a jugar con los otros. Miralo al pobrecito, se la pasa agarrado del tejido mirando cómo los otros se divierten: parece un preso. Son todos chicos, qué le va a pasar.

–No sé... algunos son unos salvajes.

–Qué decís, mujer... así tienen que ser los changos. ¿O querés que sea un pollerudo?

–¿Y si le pasa algo? La otra vez el changuito del almacén se abrió la pata con un fierro. Si lo hubieras visto cómo sangraba el pobrecito. La mamá casi se muere de un infarto cuando se lo trajeron.

–Bah, bah... no seas exagerada. Sabés la de porrazos y cortadas que me pegué yo de changuito. Y acá me tenés. Tiene que curtirse. Si no cuando vaya a la escuela va a ser un chúcaro de mierda.

Y fue Miranda el que lo llevó de la mano a jugar con el resto.

–Eu, chango... vos, vení. Sí, vos, chango, vení.

Llamó a uno de los mayores, que vino corriendo.

–Sí, don Miranda.

–Este es mi hijo, el Marciano...

–¿Marciano? –dijo el chango y se rió.

–Vos cómo te llamás...

–Rubén Otazo...

–Mentira, don, se llama el Cabra –dijo riéndose otro chango que se había arrimado a ver qué pasaba.

–Callate, vos...

–Ajá. Rubén... o Cabra. Yo no me río de tu nombre. Cada uno se llama como se llama y no es para risa. ¿Estamos?

–Sí, don, es que me tenté.

–Bueno. Este es hijo mío. Y viene a jugar con ustedes.

–Está bien, don Miranda, déjelo.

–Todavía es chiquito y no está acostumbrado a andar con otros changos.

–¿No tiene hermanito? –preguntó asombrado el metiche que había desmentido al Cabra.

–No. No tiene.

–Eso está raro...

Miranda miró al chango con el ceño fruncido.

–Mirá que sos pico carpido, vos, eh... de todo tenés que decir algo.

El chango se rió y se encogió de hombros. Le faltaban dos dientes. Era flaco y azul de negro. Tenía el pelo cortado al rape.

–¿Por qué te han cortado el pelo así? –preguntó Miranda. Le caía simpático el changuito.

–Ah... –dijo rascándose la cabeza–. Porque me había agarrado piojos. Pero ya se me fueron, don.

–Le quedó el vicio de rascarse –dijo el Cabra.

–Bueno. Cuestión que les dejo a mi hijo. Ojito con judeármelo, eh.

–No, don Miranda –se apuró a responder el Cabra, serio.

–Andá a jugar con los changos, hijo. Andá con estos dos. Estos dos te van a llevar, ¿estamos?

–Sí, papá –dijo Marciano con la sonrisa de oreja a oreja y agarró la mano del Cabra y los tres se internaron en el baldío.

Miranda los observó hasta que se perdieron en el grupo de chicos. Volvió riéndose solo. Estela lo esperaba con el mate pronto.

–¿Y? –preguntó ansiosa.

–¿Y qué, mujer? Nada. Se quedó de lo más chocho. Eso sí, me parece que le vamos a tener que cortar el pelo.

–¿Cortar el pelo? ¿Por qué?

Se rió y meneó la cabeza.

–Porque estos mocosos están llenos de piojos.

Estela chupó el mate y no dijo nada. Lo de los piojos se arreglaba fácil. Lo único que rogaba era que no le pasara nada malo a su chiquito.

A partir de la tarde en que el padre lo presentó a los otros, Marciano se unió enseguida a la pandilla. A pesar de haberse criado solito y en su casa, no era un nene tímido, y, además, contaba con la protección del Cabra y del otro al que le decían Gorgojo.

Apenas se levantaba, se apuraba a tomar la leche para irse rápido a jugar con ellos, que ya estaban en la calle desde hacía rato. Y en las horas que pasaba en la casa, no paraba de hablar de sus compinches.

Con el tiempo, Estela se calmó. Sin embargo, echaba de menos la compañía de su hijito. Los primeros años habían estado muy unidos y como Miranda no era de quedarse mucho en la casa, con el hijo no se sentía tan sola. Así que empezó a pensar en tener otro.

Ella había sido hija única de madre soltera que, encima, después la abandonó. Se había criado con la Señora Nena, que tampoco tenía hijos. Muchas veces había deseado tener un hermano o una hermana. Todavía, de vez en cuando, pensaba que hubiese sido lindo. Quizá los tenía, en alguna parte. Su madre era joven cuando se marchó y era probable que hubiese tenido otros hijos.

Cuando le habló de sus planes, Miranda estuvo de acuerdo enseguida. Él siempre había querido tener varios hijos. Aunque no se hablaba con sus hermanos por problemas con la herencia y porque los otros se habían mandado a mudar a Buenos Aires y, finalmente, les había perdido el rastro; para él era importante tener una familia numerosa.

En una de esas tardes calurosas, con el cuerpo veteado por los surcos que deja el sudor en el polvo adherido a las pieles, disfrutando del botín de una pila de naranjas amargas robadas de alguna quinta, Marciano y Pajarito se habrán hecho amigos. Tenían la misma edad y los dos eran audaces: no les tenían miedo a las alturas ni a los perros ni a los changos más grandes.

El Cabra y el Gorgojo, viendo que los benjamines hacían un buen par, los tenían abajo del ala; como si ellos ya fueran gánsteres viejos entrenando a sus herederos. La protección de los dos mayores los acercó más. En esa época no se tenían celos ni bronca, al contrario.

Lo único que les llamaba la atención era que cada uno tenía prohibido pisar la casa del otro.

Una vez Estela los había invitado a todos a tomar la leche. Armó la fiestita en el patio. Pajarito, por supuesto, estaba entre los invitados de honor junto con el Cabra y el Gorgojo. Estaban todos paraditos alrededor de la mesa, manoteando alfajores y bizcochuelo, jugando a ver quién podía meterse más pedazos en la boca, cuando no va que pasa Tamai en bicicleta y entre el changuerío distingue a su hijo. Ahí nomás frenó y lo llamó desde la calle. Tuvo que gritar un par de veces porque con la bulla que metían, Pajarito no lo escuchaba. En realidad, fue Estela la que lo vio y se arrimó a ver qué quería.

–Le estoy llamando a mi hijo, señora...

–¿Cuál es su hijo, Tamai?

–Aquel allá... el Pajarito. Se hace el que no me siente. ¡Pajarito! Te estoy llamando, carajo.

–Déjelo. Termina la leche y yo se lo mando para su casa.

–No, señora. No se ofenda. Pero ninguno de mis hijos tiene que pisar su casa ¿me oyó?

–Son changos, Tamai... no tienen nada que ver con los problemas que usted tenga con mi marido.

–No voy a discutir con usted, señora... usted verá cómo cría a su hijo. Pero los míos no me pisan esta casa por nada del mundo. ¡Pajarito! ¡Vení acá, te estoy diciendo!

Recién ahí Pajarito advirtió que era a él a quien llamaban. Cuando escuchó su nombre, dio vuelta la cabeza en dirección al grito. Se le frunció el culo cuando lo vio a su viejo.

–¡Vení! Vamos para las casas.

–Tamai, por favor...

–Lo mismo va para su chango. No lo quiero en mi casa ¿me oyó?

Estela dijo que sí.

Pajarito pasó a su lado, rojo de vergüenza.

–¡Andá para las casas que te llama la mamá!

Una vez que atravesó el portón de los Miranda, Pajarito echó a correr rumbo a la otra esquina.

–No le castigue... fue culpa mía... yo les invité... son changuitos.

Pero Tamai ya había agarrado velocidad en su bicicleta y estaba doblando la cuadra.

Cuando Estela le contó a su marido el episodio, Miranda pegó un puñetazo arriba de la mesa.

–Me cago en la mierda –dijo.

–No tiene gollete meter a las criaturas en los problemas de los grandes –dijo Estela.

–No. Más bien... pero más vale que el Marciano no vaya para allá. Este desgraciado es capaz de cualquier cosa con tal de joderme.

–Yo creo que no les trata bien a sus hijos... no sabés con qué cara de susto se fue el pobrecito de acá... ni que hubiese visto al demonio.

–Mala entraña. Eso es lo que es. Tendría que ir ahorita y chantarle las cuarenta.

–Dejale así, Miranda... no empecés vos también.

–Ajá... ahora me vas a cagar a pedos a mí. Tamai viene a jeder a mi casa y después me retás a mí.

–Te conté para que sepas, nomás. No es cuestión de que vayas allá a buscar camorra. Los changuitos son compinches. Todavía no entienden las pavadas de los grandes.

–Está bien. Pero hay que hacerle entender al Marciano que no puede ir a esa casa.

–Yo le voy a explicar.

A partir de ese día cada uno tuvo prohibido pisar la casa del otro, pero no ser amigos. Es más, la enemistad de los padres, la sensación de estar haciendo algo a sus espaldas, fortaleció su amistad. Pasarían unos años hasta que ellos también terminaran enfrentados.

Ahora tiene los huesos helados. Encuentra en los recuerdos más antiguos, un refugio. Se le aparece un parque de diversiones como este, pero a plena luz del día.

Para llegar al parque hay que atravesar todo el pueblo. Él y su compinche se trepan a las bicicletas y pedalean primero entre la tierra suelta de las calles de su barrio, después entre el pedregullo de las calles más cercanas al centro. Cuesta y las ruedas de las bicis van tirando piedritas hacia los costados, algunas les pican las piernas desnudas. Dos o tres cuadras de asfalto, qué alivio. Sueltan el manubrio, se cruzan de brazos y la van canchereando. No anda nadie. No hay un alma en la plaza grande. Paran y estacionan las bicicletas contra un árbol. Se van corriendo hasta una canilla.

Pajarito llega primero, abre la llave y mete la boca abajo del chorro. Escupe dando un alarido.

–¡Hirve! –dice.

El otro se ríe.

Dejan que salga el agua, Pajarito la va tanteando con la mano. Cuando está más o menos tomable, vuelve a meter la boca abierta en el pico de la canilla. Se le inflan los cachetes y le sale agua por las comisuras de la boca, le corre por el cuello. El otro lo aparta de un empujón y hace lo mismo. Pajarito cae de culo en el pasto mojado, en el charco de barro que se formó alrededor de la canilla. Lo agarra al otro del cogote. El otro se ahoga y escupe agua. Ruedan por los lamparones de pasto y tierra. Se ríen. Quedan los dos acostados de espalda, tratando de recuperar el aliento.

Repuestos, en silencio, vuelven a montar las bicicletas. Esta vez se las cambian. Vuelven al pedaleo bajo el sol infernal de la siesta. De nuevo pedregullo y otra vez calles de tierra. Las cubiertas sisean sobre el polvo suelto y van dejando una marca, como de víbora.

Deben tener seis o siete años, no más; porque en tercer grado cada uno se hizo de otra barrita y se separaron para siempre. Y en este recuerdo todavía son compinches.

Se fueron de las casas sin permiso. Lo planearon esa mañana. Habían escuchado la propaganda rodante: ¡el parque más grande del país –tronaba el altavoz instalado en el techo de la renoleta–, mejor que el Italpark!

Apenas todos se durmieran, se encontrarían en la esquina con las bicicletas. Nunca habían ido tan lejos solos, pero conocían el camino, era bastante directo.

Y ahí estaban. El centro del pueblo cada vez más lejos. Las casas y las calles cada vez más parecidas a las de su barrio.

–Guaaaaa –exclamó Marciano y clavó los frenos.

Pajarito, que venía embalado, lo adelantó unos metros y también frenó.

–Guaaaaa –dijo también y giró la cabeza para mirar al compinche.

–Fáaaaaaa –gritaron los dos y se rieron.

Un perro ladró desde el fondo de alguna casa.

Marciano dio unas pedaleadas lentas hasta alcanzar al otro. Se quedaron estacionados en el medio de la calle, mirando hacia adelante. La vuelta al mundo se recortaba perfecta contra el cielo azul: una rueda gigante con aristas multicolores, sobrepasando ampliamente la altura de los techos de las construcciones cercanas.

–¡Vamos! –dijo Pajarito, apoyándose firme en los pedales y en el manubrio cromado que destellaba al sol, encorvando la espalda para pedalear más fuerte.

Iban los dos cabeza a cabeza y no había otro sonido que el de las respiraciones agitadas y el de los piñones ronroneando por la velocidad.

Llegaron enseguida al predio.

El parque abriría recién esa noche y aunque ya estaba casi todo listo, quedaban algunos hombres trabajando.

Tiraron las bicis en la cuneta reseca y entraron. Primero recorrieron la zona de los quioscos. Pequeñas casetas de chapa pintadas de colores vivos con letreros que indicaban la actividad de cada una: pesca, argollas, tiro al blanco, lotería... todas tenían las ventanas cerradas, guardando en su interior el tesoro de los premios. Marciano se detuvo frente a la última y lo codeó a su compinche, señalándole el cartel con un movimiento de cabeza. Besos 0,50; decía.

Después se fueron para donde se levantaban los juegos mecánicos. Pasaron al lado de la cama elástica: era enorme, como tres camas matrimoniales juntas, pero redonda, y mucho más alta que ellos. El gusano loco, el samba...

—Una vuelta me subí al samba y lancé todo —dijo Pajarito.

La montaña rusa, los autitos chocadores, las tazas... había un montón de juegos. No sería el Italpark, como alardeaba la propaganda, pero era el parque más grande que había venido al pueblo, por lejos.

Se quedaron mirando a un tipo que ajustaba unas tuercas con una llave muy grande. El tipo estaba trepado a una estructura de hierro, a un par de metros de altura. Llevaba puesto un mameluco de grafa y un gorro que lo protegía del sol. Tenía un cigarrillo prendido que le colgaba de la boca mientras hacía su trabajo.

–¿Qué es lo que es eso, don? –preguntó Pajarito levantando la voz para que el hombre lo escuchara desde la altura.

El empleado del parque miró hacia abajo.

–Está cerrado –dijo.

–Vinimos a mirar nomás –dijo Pajarito poniéndose las manos a los costados de la boca a modo de megáfono.

El tipo se agarró con una mano de la columna de hierro y con la misma que sostenía la llave, se despegó el cigarrillo de los labios. Soltó un chorro de humo y los quedó mirando.

–¿Qué es lo que es eso? –repitió Pajarito.

–¿Esto? –dijo el hombre golpeando la columna con la herramienta–. Acá va el barco pirata –dijo y señaló un bulto, a un costado, cubierto con una lona verde.

Los changos miraron en esa dirección.

–¿Quieren verlo?

Tiró la colilla que cayó cerca de los pies de Marciano.

–¡Chaque el pucho! –lo embromó Pajarito, riendo.

El hombre empezó a bajar. Cuando estuvo a unos cincuenta centímetros, se soltó y pegó un salto. Cayó justo delante de ellos.

–Denme una manito –dijo.

Fueron hasta el bulto y desató unas sogas gruesas.

–A ver, agarren de ahí... eso. Tiren.

El Barco Pirata era muy grande, así que el tipo tuvo que treparse por la lona e ir levantándola de a poco. Los chicos lo iban ayudando desde abajo. Por fin, después de muchas maniobras, quedó al descubierto.

–Guaaaaa –dijeron los compinches al unísono.

–Suban –los invitó sentándose en el borde de la embarcación–. Ahí al costado tienen una escalerita.

No se hicieron rogar y de inmediato estuvieron arriba.

El tipo se estaba armando un cigarrillo. Se había desprendido la camisa, el pecho le brillaba de sudor.

Pajarito y Marciano recorrieron el barco. En realidad, no era más que una estructura pintada con un montón de asientos con sus barras de seguridad.

–¿Y? ¿Les gusta?

–Está lindo. ¿Y cómo funciona, don?

–Esto va agarrado allá en el medio y se balancea para un lado y para el otro. Así como lo digo parece una pavada, pero agarra mucha velocidad.

El empleado prendió el cigarrillo y sacó un pañuelo y se lo pasó por el cuello enrojecido y por el torso. Paseó la vista a su alrededor. A unos cuantos metros vio a tres de sus compañeros terminando de ajustar la montaña rusa, y mucho más allá, otros dos armando las hamacas voladoras. El resto estaba descansando en las casillas rodantes estacionadas en el extremo del predio.

Posó la mirada en los changuitos. Los dos apoyaban los brazos en el borde del barco, estaban en puntas de pie, mirando para abajo. Las piernas morenas y flacas les asomaban debajo de los shorcitos, y las remeras, que se les habían levantado por la posición, mostraban un pedazo de espalda, la terminación de la columna vertebral.

–¿Quieren tomar una coca cola? –les preguntó.

En tercer grado, Marciano y Pajarito dejaron de ser amigos. Hubo un tercero en discordia, Nango, que se mudó al barrio con su familia, procedentes de Charata.

En primero y segundo, los retoños de Miranda y Tamai se habían sentado juntos, para dolor de cabeza de las maestras. La de tercero, anoticiada por las otras de que ese par era pura dinamita, aprovechó el ingreso de un nuevo alumno, el tal Nango, para separarlos. Apenas entraron en el aula sentenció que el nuevo iba a compartir banco con Pajarito, para que se fuera integrando, como explicó cuando los dos amigos se negaron a cambiar de sitio.

La señorita María Nieves era inconmovible y no la derretían ni los pucheros, ni las lágrimas, ni los abrazos... esas tretas infantiles que doblegaban la voluntad de otras docentes. Tenía fama de dura y era respetada por sus colegas: a María Nieves nunca le había temblado el pulso a la hora de enderezar a los piel de Judas.

Aunque Marciano y Pajarito intentaron oponer resistencia, enseguida terminaron agachando la cabeza: sabían que enfrentarse a la maestra el primer día de clase, a esta maestra, era repetir el grado. Si María Nieves te agarraba pica, no había manera de cambiar el curso de las cosas.

Así que Marciano agarró su portafolio y se fue a sentar adonde le indicó la maestra. Y Pajarito se sentó mirando al pizarrón, dispuesto a no dirigirle la palabra al nuevo: si quería integración que la buscara en otra parte.

Los primeros días los pasaron así: Pajarito en el primer banco ignorando al nuevo, Marciano bastante más atrás sentado con una de las tragas, y la maestra chocha, dándose aires con las otras por haber logrado neutralizar al dúo.

En los recreos se juntaban y hablaban de cazarlo a la salida para vengarse. Pero siempre alguien, la hermana o la madre, venía a esperar a Nango y no podían pasar a la acción.

Un buen día, por cansancio o por aburrimiento o por necesidad, Pajarito y Nango entablaron conversación. El nuevo le prestó un mapa; se lo dio sin que se lo pidiera y antes de que María Nieves lo pescase sin el material de trabajo.

En el recreo se lo comentó a Marciano y el compinche, herido, dijo:

–Traer dos mapas. ¡Qué paspado!

Paspado o no, lo había salvado de una buena. Al final no era tan malo y después de todo no tenía la culpa de que la vieja los hubiese sentado juntos.

Después del mapa, fueron los lápices, la goma, el transportador... Pajarito siempre llevaba la mitad de las cosas porque las perdía o se las olvidaba en la casa.

Aunque fuera del aula, Pajarito y Marciano seguían siendo el dúo dinámico, Marciano, desde su banco, se daba cuenta de que en clase su compinche se la pasaba cuchicheando con el nuevo así como ellos dos en los viejos tiempos.

Entonces, antes de ser completamente abandonado, él también empezó a hacerse de otra junta.

Con Marciano entretenido en estrechar lazos con nuevos compinches, Pajarito se sintió más libre de ser amigo de Nango y ahora también podían andar juntos en los recreos.

Además, ser amigo de Nango tenía un montón de ventajas: su padre era chofer de micros de larga distancia y siempre le traía juguetes comprados en Buenos Aires, juguetes lindísimos y novedosos que en el pueblo, a lo sumo, tendrían los changos ricos; y encima él podía ir a jugar a lo de Nango y el otro venir a su casa, sin que Tamai se opusiera.

Aunque la separación fue, en cierto modo, de mutuo acuerdo, los dos, en el fondo, estaban resentidos. Pajarito también se sentía dejado de lado por su amigo.

No en vano eran hijos de sus padres; lo que se hereda no se roba, dicen. Ese pequeño resentimiento se fue haciendo piedra en la entraña de cada uno. Y ya para las vacaciones de invierno, los dos que habían sido inseparables hasta el último verano, se habían vuelto enemigos irreconciliables.

Su papá se ha ido. Marciano no sabe si eso es bueno o es malo. Si su papá se ha marchado porque a él todavía no le llegó la hora de irse con el muerto. O si su papá se ha ido espantado por la cercanía de su muerte.

¿Cómo decirlo? El papá actuaba como si no supiera que está fallecido. Primero lo reconoció como su hijo, después empezó a mostrarse ausente, al final lo trataba como a un extraño.

Su papá no sabe que está muerto. Se quedó vagando en esa última madrugada, para él siempre está volviendo a su casa, siempre demasiado tarde, siempre pensando en la cepillada que le va a dar Estela por volver a esas horas.

Aunque hayan pasado diez años, Elvio Miranda todavía no pudo entrar a la tierra de los finados. Está varado en esos pocos minutos antes de ser asesinado; no se resigna a abandonar el mundo de los vivos. ¿Pide venganza? Puede ser. Pero el único que podía vengarlo, el que había jurado sobre su cadáver cobrarse con sangre la sangre derramada de Miranda, está a punto de estirar la pata.

Es su hijo, Marciano, el primogénito. Qué ironía venir él a encontrarlo, yéndose en sangre, en el parque de diversiones. Elvio Miranda se hace el que no sabe, se hace el que no entiende porque el mismo día en que acepte el mecanismo, ya no podrá seguir andando con un pie en cada mundo, ya no podrá hacerse esas escapadas.

Pero qué macana que sea su hijo el que está despatarrado en el barro. Ahora se fue porque en una de esas, si él se niega a llevarle el apunte, el changuito se salve. No sabe bien cómo funciona la cosa. Porque que le toque justo a él encontrarlo y llevárselo, sería una crueldad muy grande. Aunque, si se lo piensa mejor, es justo que sea él: si él lo trajo al mundo, corresponde que sea él quien se lo lleve al otro mundo.

No sabe. Mejor se va. Mejor se queda en la ignorancia. Le da la espalda y no vuelve a mirar para atrás. Si él, que es más de allá que de acá, no puede verlo, capaz que es porque el chango va a seguir viviendo.

Estela no se lo perdonaría. No le perdonaría nunca que él se llevase a su hijito. ¿Lo perdonó, acaso, por haberse muerto? A veces sí y a veces no.

Los primeros tiempos Estela no podía darse el lujo de estar furiosa: ni con el marido, ni con sus asesinos. A los trámites inmediatos, sobrevino cómo hacer para seguir adelante sin Miranda, con la ladrillería, con los chicos.

Encima las visitas constantes de Rebolledo, que nunca aportaban sino una pálida luz de esperanza cuando veía el patrullero estacionándose frente a la casa, seguida de una gran desazón cuando el oficial movía la cabeza y decía: nada todavía.

Nada todavía era lo mismo que nada para siempre: cuanto más tiempo pasara sin que la policía llegara a alguna conclusión, menos probabilidades de que algún día dieran con los culpables.

Habría sido todo más fácil si el asesino hubiera sido Tamai, pero Estela siempre supo que él no había tenido nada que ver. No podía explicarlo, pero lo sabía. Más fácil porque todo se habría resuelto rápidamente. Sin embargo, se alegraba de que no fuera el vecino. Él también tenía esposa e hijos, Marciano y el varón más grande de Tamai iban juntos a la escuela, y habría sido una desgracia demasiado grande para un solo barrio.

Quería que se hallara a los asesinos porque así su marido descansaría en paz; pero, sobre todo, para que su hijo mayor pudiera vivir en paz. No le gustaba verlo tan enojado. Tan callado con quién sabe qué oscuros pensamientos rondando su cabeza.

A los pocos meses, cuando ya se estaba resignando, ocurrió el episodio del robo al banco de la provincia y ahí sí se dio cuenta de que el crimen de su esposo, que ya estaba en punto muerto, iba a cajonearse para siempre.

Pasaron dos o tres semanas sin que Rebolledo se diera una vuelta. Una tardecita cayó y no quiso aceptar ni un mate.

–Vine de una disparada –dijo–. Estamos enloquecidos con el tema este del banco... no quiero que pienses que nos hemos olvidado de tu marido, pero viste cómo son las cosas. No estamos preparados para tantos casos importantes a la vez... esto del banco, ni en Resistencia se dio algo así alguna vez... ellos no están mejor preparados que nosotros, te garanto.

Estela le hizo un gesto como diciendo que no se preocupara.

Rebolledo le palmeó un hombro.

–¿Y vos cómo estás, Estela?

–Bien. Acostumbrándome.

–Está bien. Bueno, otro día paso y me tomo ese mate.

Y salió con el tranco largo.

Quizás esa tarde empezó la furia. Primero contra la policía por no haber encontrado ningún culpable. Después contra los asesinos. Y finalmente contra el propio Miranda. Porque lo que le pasó le pasó por su culpa. Por haber llevado la vida que llevaba. Él los había dejado desamparados, a ellos que eran su familia. Él tenía la culpa de que el Marciano estuviese sufriendo como un condenado, pobrecito.

El período de furia había durado un tiempo largo. Después Estela había vuelto a la resignación. No tenía caso estar enojada con el finado; a ver si todavía le estaba haciendo un daño.

Entonces empezó a prenderle velas todos los días, a hablarle cuando se metía en la cama y los changos se dormían y todo quedaba en silencio excepto por el ladrido de los perros, a confiarle sus pensamientos más íntimos como no había hecho nunca mientras lo tuvo vivo. La tranquilizaba pensar que desde algún lugar Miranda la estaba escuchando. Que desde algún lugar, Miranda, ahora sí, velaba por su familia.

Esa mañana, cuando se levantó, cerca del mediodía porque no había escuela, la mamá le dijo a Pajarito que habían matado al vecino. A él le había agarrado un frío en la panza y enseguida pensó en Marciano. Le dio bronca que tuviera tanta suerte. A él le hubiera gustado que el muerto fuese su padre.

Ahora Marciano y él se tenían tanta rabia que hasta se habían olvidado de que alguna vez fueron amigos.

Pajarito armó una bandita con Nango y otros compinches que fue reclutando en la escuela y en el barrio. Y Marciano hizo lo mismo. Su ladero se llamaba Luján y era un hermano del Gorgojo.

El Cabra y el Gorgojo se habían ido a hacer la colimba y después no habían vuelto al barrio. Parece que se habían ido los dos para Buenos Aires a trabajar en la construcción. Se fueron dejándolos como amigos, dignos sucesores de ellos. Pero el sentimiento de Pajarito y Marciano no había sido tan fuerte como el de sus maestros.

Los otros seguían juntos enfrentando la gran ciudad y ellos, al primer problema, se habían dado la espalda.

Así como en la escuela dividieron el grado, afuera se dividieron el barrio: cada bandita tenía sus propios baldíos, sus propias calles y sus horarios para jugar al metegol pues en el almacén había uno solo y no tuvieron más remedio que compartirlo. Y cuando entraron en la adolescencia, cada uno fue patrón de su propia esquina.

Esto no quitaba que de vez en cuando alguno invadiera el territorio del otro, en el afán de que se armara rosca, de poder cuerpearse y sacarse las ganas de pelear.

En esas batallas, los compinches de cada lado siempre dejaban solos a Pajarito y Marciano, ninguno se atrevía a tocarle un pelo al jefe de la banda enemiga, so pena de recibir una zurra del propio comandante si lo pescaba poniéndole un dedo encima a su único y particular enemigo.

Los dos se habían vuelto buenos peleadores. Habían sido entrenados por el mismo cerebro –Cabra y Gorgojo, que se entendían como si fuesen uno solo– y los dos habían sido buenos discípulos. Cuando se enfrentaban, el resto paraba las piñas y formaba un círculo solo para poder mirarlos y no perderse el espectáculo. Un círculo formado por dos semicírculos, claro, porque no se mezclaban entre bandos.

Daba gusto verlos luchar.

Se diría que cada uno fue tomando conciencia de su propio cuerpo durante esas riñas: cómo los puños se iban endureciendo, cómo los brazos se iban volviendo más largos y elásticos, cómo se hinchaban las venas del cuello acarreando sangre a los corazones agitados, cómo los vientres se iban poniendo más planos, y cómo iba creciendo el bulto adentro de los pantalones.

Rozando, estrechando, empujando y golpeando el cuerpo del otro se dieron cuenta de los cambios que la edad operaba en el propio. Y en alguno de esos forcejeos se habrán visto a sí mismos, duplicados, como en un espejo.

Pajarito terminó la leche y agarró la bicicleta y se fue a dar unas vueltas. Por supuesto, su intención era pasar por delante de la casa de los Miranda a ver qué se veía. Dio un rodeo: no quería ir directamente, no quería que pareciera que le importaba. Así que primero agarró para el lado del centro. Anduvo varias cuadras a toda velocidad, como si estuviese yendo a alguna parte, a hacer alguna diligencia. Después dobló y pegó la vuelta y por fin apareció en la esquina de los Miranda.

Ahí frenó de golpe y se bajó y se puso a revisar la cadena. Espió por sobre la rueda hacia el terreno de su enemigo. No se veía a nadie. Las puertas y las ventanas de la casa estaban cerradas a cal y canto. Dos perros dormían bajo la enramada y los otros debían estar encerrados en el canil.

Se paró y llevó la bicicleta de tiro, despacito; caminó mirando de reojo. Nada. Nadie.

–¡Qué desgracia, chango!

La voz del viejo que vivía pegadito a Miranda lo sobresaltó. Estaba sentado debajo de un árbol, en la vereda, tomando mate. Llevaría toda la mañana ahí, esperando para hacerle el mismo comentario a todo el que pasaba. Pajarito se acercó.

–¿Viste vos lo que pasó? –dijo el viejo–. Pobrecito, don Miranda. Pobre la señora y los changuitos, porque él, como quien dice está muerto y ya no siente nada, en paz descanse.

–Supe que le mataron –dijo Pajarito.

–Matarle es poco. Le pegaron unos balazos y le degollaron.

Pajarito volvió a mirar hacia la casa, esta vez sin disimulo. Viendo todo vacío y en silencio, sentía la decepción de quien llega demasiado tarde al lugar de un accidente, cuando la escena ya está vacía, borrado todo rastro de tragedia.

–¿Y adónde se han ido todos? –preguntó cabeceando en dirección a la propiedad vecina.

–Vino la brasilera, la madrina de la señora Estela, y se los llevó a todos para el centro, para la casa de ella... me encargaron que les diera comida y agua a los perros. Son mansitos. Estos perros son buenos para correr, pero lo que es para perro no sirven. Dicen que por la radio van a decir a qué hora es el velatorio.

Pajarito hizo el amague de seguir viaje.

–¿Querés acompañarme a darle de comer a los galgos? –dijo el viejo, como si no quisiera cortar el diálogo.

–No. Tengo que hacer un mandado, don.

–¿Se te rompió la bicicleta?

–No. Ya está. Se me había salido la cadena, nomás. Hasta luego, don.

–Saludos –dijo el viejo y siguió sentado, moviendo la cabeza hacia un lado y hacia el otro como un caburé, esperando el paso de algún desprevenido para sacarle conversación.

Pasó rápido frente a su casa, sin mirar, por si Tamai andaba por ahí y lo llamaba, y se fue para lo de Nango.

Pero su compinche no estaba. Le dijo la hermana que se habían ido con otros changos para el lado del Imperio a ver la sangre de Miranda que, decían, todavía estaba fresca en la vereda.

Es la música y las voces, murmullos apagados que de golpe se encienden con algunas risas. Es ese rumor que se le mete en la cabeza y va trayéndolo despacito, de vuelta. Después abre los ojos y parpadea varias veces.

¿El cielo está más bajo? Blanco como siempre pero ahora con pequeñas estrellas de picos demasiado nítidos para ser reales. Parecen recortadas y están, son estrellas de papel plateado pegadas al cielo que no es sino una sábana blanca, sostenida por sus puntas de algún lado, formando una panza en el centro. Como esas nubes gordas que le gustaba echarse a mirar de chico.

Está acostado sobre algo que no es el piso y se siente bien, limpio y perfumado como cuando salió de su casa rumbo al parque. Un brazo se le resbala de arriba del pecho y los dedos se le enredan en las cintas que cuelgan en los bordes de la mesa donde reposa. El murmullo de voces sigue: ahora distingue frases entrecortadas, el verso de un rezo mezclado con algún chisme y las risas, todos están contentos, parece una fiesta.

Se incorpora y se arranca el trapo que lo abriga. Nadie repara en él. Sus ropas están desaliñadas y todavía tiene barro en los pantalones y manchas de sangre. Pero se siente bien. Fuerte de nuevo. Dispuesto a seguir la noche. Todo no fue más que una paliza. Camina torpemente al principio, se choca con un grupo que charla y alguien le pone un vaso en la mano. Bebe. El licor le arde en la garganta reseca. Tiene ganas de mear y busca un sitio alejado de la fiesta. Se apoya con un brazo en un quiosco de lata y descarga un chorro frondoso. Aprovecha para acomodarse la camisa adentro del pantalón, se sacude el barro seco con la palma y se peina con los dedos el pelo húmedo, con hebras de pasto entre los mechones que le caen sobre el cuello.

Todo en el parque está apagado, excepto ese círculo de gente y música y murmullos del que acaba de salir. No tiene sueño. Quiere tomarse un par de tragos para recomponerse antes de volver a la casa.

Enfila hacia la reunión. Otra vez le ponen un vaso en la mano. Observa las caras, le resultan familiares, aunque hay algo extraño: todos se ven muchísimo más jóvenes: vecinos, parientes.

A la vuelta de la mesa donde despertó se han encendido velas. Se abre paso para ver más de cerca. Aunque está de espaldas a él, reconoce a la mujer parada en uno de los extremos: es la Señora Nena, madrina de su madre y madrina suya; la Señora Nena más flaca, más joven, más erguida. Se acerca más y espía por sobre su hombro. Ella acaricia con sus manos los pies pequeños que salen de la mortaja. Y un hombre que no conoce, de pie en el otro extremo de la mesa, acaricia la cabeza de un chiquito de unos diez años. Siente que se le heló la sangre y aunque ya sabe, tiene que estar más cerca y cerciorarse. Rodea la mesa y se reconoce en la carita dormida del angelito.

–Pida algo –le dice una mujer desde atrás–. Pida algo y haga un ñudo en la cinta que mi hijito le va a llevar su pedido a Dios.

Marciano gira la cabeza y se encuentra con el rostro entristecido de su madre.

–¡Hay que hacer volar al angelito! –grita alguien.

–¡Ya es hora, ya es hora! –corean.

–¡Traigan las cañitas voladoras! ¡Guarda con quemarle las alitas! No me llore, Estela, que si se le mojan las alas el pobrecito no va a poder llegar al cielo, mi hija.

Se miran un momento y cuando está estirando la mano para acariciar la mejilla de la mamá, llega Miranda y la abraza por el cuello. Tiene una botella en la mano y grita:

–¡Música! ¡Música! ¡Mi hijito está volando al cielo!

La cara de Miranda a la luz de las velas parece la de un demonio: los ojos rojos y brillantes; la risa borracha, falsa.

A Marciano se le doblan las rodillas y cae. Otra vez como por un tubo negro. Otra vez está echado en el barro. Arriba el cielo blanquísimo. El mismo frío en los huesos.

La misma soledad del parque. Tuerce la cabeza y lo ve a su padre. Miranda volvió y está sentado en el piso. Con las uñas largas como las de una mujer pela un pedazo de rama y de sus labios cerrados escapa un gemido largo, interminable.

–¿Qué hacés, papá?

Se calla, pero sigue con lo suyo. Tarda en responder.

–Una cruz para mi hijo.

La cumbia está al taco en la bailanta recién inaugurada. Como cada vez que abre un local nuevo en el pueblo, explota de gente las primeras semanas, mientras dura la novedad. En las calles que rodean el galpón, hay un auto estacionado pegadito al otro. Si hasta la chetada se anima a los suburbios cuando abre algo nuevo, podridos de ir siempre al mismo boliche: vienen por curiosidad, por diversión, y porque clavarse a alguna chinita de los barrios es más fácil. Y en el baldío de al lado, se alinean las motitos, un centenar, la mayoría con escape libre porque al changuerío le gusta hacerse notar.

Cuando el Pájaro y sus compinches llegan, ya está hasta las manos. Se demoraron en la pieza de Cardozo, el único privilegiado del grupo que vive solo porque los padres se fueron de caseros a la estancia de un gringo, en el norte de Santa Fe. Él se quedó en el pueblo, en su puesto de playero de la YPF. Cuando no le toca el turno noche se juntan todos en su casa.

Comieron un asado, se bajaron un cajón de Quilmes y se tomaron unas líneas, cosa de llegar colocados al baile.

La pusieron a todo culo a la bailanta: dos pisos, tres pistas, y un sector VIP en la terraza. Dicen que es de una gente de Rosario. Nango, que es locutor en la FM, les consiguió a todos pases para el VIP.

–¿Y qué es lo que es el VIP? –preguntó Cardozo cuando el otro les repartió las tarjetas.

–Eso quiere decir que sos importante, chamigo, que no te juntás con la negrada.

–Ajá. Y entonces qué es lo que hago con ustedes, che –dijo riéndose.

–Andá a lavarte el ojete. Mirá que te la quito, eh.

–Pará. No te calentés, pava de lata.

Así que cuando llegaron, Nango, que ya conocía las instalaciones, rumbeó enseguida para las escaleras. Fue difícil el ascenso, había tanta gente que hasta se bailaba en los escalones de cemento.

Cuando por fin pusieron pie en la terraza estaba tan lleno como abajo.

–Achalay, que somos mucha la gente importante –dijo Cardozo.

Nango ni le contestó y se fue a la barra a buscar unos champanes. Era principios de mes y andaban todos con plata en los bolsillos.

Se quedaron un rato abriendo la boca en el VIP. Había un poco más de aire, pero no pasaba nada. Los parlantes estaban bajos y subía la bola de sonido de las otras pistas. Nadie bailaba. Se veía que el VIP era más para charlar y para apretar.

Cardozo y un compinche, que habían bajado a dar una vuelta, subieron diciendo que en los otros pisos "se ponía". La fiesta estaba en los pisos de abajo. Había un montón de minas copeteadas buscando guerra. Y encima, las barras de abajo eran más baratas.

Convencieron al resto, que ya estaba embolado, de bajar. Nango quiso quedarse porque se había encontrado con unos compinches de la radio.

–Dejalo al periodista que se quede en su vipe –dijo Cardozo, chuceándolo a Nango. Siempre estaban compitiendo a ver quién era más amigo del Pájaro.

Bajan y se estacionan en el primer piso. En la planta baja es la fiesta de la espuma y Cardozo dice que hay un barrial impresionante, que andan todos a las patinadas.

Compran unos porrones. El del champán es Nango porque le gusta andar cheteando, y aprovechan un claro que hay en la barra para instalarse ahí.

Marciano está bailando con la Yani, una gringuita evangelista que se escapó de los padres para venir al baile. A Marciano le gusta bailar y lo hace a buen ritmo; la Yani se quiebra toda entre sus brazos. Cada vez que la coreografía lo permite y se la pone a tiro, le come la boca. Le gusta mucho la Yani.

Cogieron la vez pasada. La Yani era virgen y él está orgulloso de haber sido el primero. Dicen que las mujeres nunca se olvidan del tipo que las desvirgó. Así que, aunque un día se separen, la Yani no se va a olvidar nunca de él. Va a ser vieja y todavía se va a acordar de Marciano Miranda.

Es verdad que no la pasaron muy bien. Después ella se puso a llorar y él tuvo que consolarla. El cuerpo de la Yani es blanquísimo y tiene un montón de lunares en las tetas y la espalda.

–Te cagaron las moscas –le dijo él en un intento por hacerla reír. Pero a ella no le gustó el chiste y empezó a llorar más fuerte.

Mientras la abrazaba para que se calmara, se le volvió a poner dura y le entraron unas ganas bárbaras de volver a coger. No hubo Cristo que la convenciera, así que se vistieron y se fueron antes de terminar el turno.

–Eso por meterte con virgos. Y evangélica, encima –le dijo Luján cuando le contó, al otro día.

Pero no era para fifar nomás; él a la Yani la quería... o, por lo menos, sentía otras cosas por ella. No era un tema para hablar con Luján. Ni con nadie.

–¿Quién es la gringa que está bailando con Marciano? –le dice el Pájaro a Cardozo.

–Esa es la Yani Kowalsky. La hija de Kowalsky, el de vialidad.

–¿No son evangelios esos?

–Afirmativo. Va a la escuela con mi prima, la Ileana. Viste que a mi tía ahora también se le dio por el evangelio.

–Raro que Kowalsky la deje andar con Miranda.

–Y no la deja. Me contó la Ileana que el padre no sabe nada. Ellos novian entre ellos nomás, viste cómo son, todo el día con la religión. Mirá si la va a dejar mojar con un pata sucia como Marciano. Pero todas estas gringas son más ligeras que las changas de La Cruceña, mirá lo que te digo, varios cuerpos les sacan. Están muy deprimidas por la religión y cuando se sueltan no hay quien las pare.

–Reprimidas querés decir.

–Ajá. Cuando se les suelta la cadena... agarrate uy uy uy.

–¿Y vos cómo sabés tanto, chamigo? ¿La metiste en tierra santa vos también?

–Y cómo no, más vale.

El Pájaro se ríe.

–A vos sí que no te hace recular ni una topadora.

–Qué te pensás, Pájaro, que te estoy cagando a cuentos. No sabés la de evangelias que me pinché yo.

183

–No, no. Si yo no digo que no. Pedite otro porrón que te toca pagar a vos.

–Otra vez yo... qué es lo que se creen ustedes. Eu, Mono, pagá vos que chupás como una esponja y no te veo meter la mano en el bolsillo... siempre la tenés ocupada con el porrón.

–No hables al pedo, si el Mono compró recién.

–Se, se... mirá como se hace el boludo tu gato... mira lejos como perro que lo están culeando.

El Pájaro prende un cigarrillo y sigue mirando a la parejita. No estaría de más pirañearle la novia al Marciano. A él las gringas no le llaman y esta es medio flaca para colmo, pero poniéndole un poco de voluntad. Se ríe solo. Estaría lindo, de jediondo nomás.

Debe estar llegando al final. Se ve que perdió mucha sangre y está débil y la debilidad lo pone marica. Porque mirá vos que venir a acordarse de cuando el Marciano y él eran amigos. Dos catangas de este tamaño, escapándose de la casa en las bicis para venir al parque.

¿Cuántos años tenía ahí? Seis o siete cuanto mucho. Un parque igual a este. O más grande. Más completo. Como el Italpark, decían. Capaz que ni era mejor que este. Seguro que no porque habían pasado como quince años y ahora todo es mucho más moderno. Pero los recuerdos son así: uno agranda las cosas o las vuelve a ver con ojos de changuito. Dos tarugos de este tamaño eran.

Se habían demorado más de lo previsto y cuando volvió a la casa, Tamai le dio una paliza para todo el campeonato. Parece que los habían andado buscando por todos lados: en los baldíos, en el canal, y hasta en el montecito que está camino a la ruta vieja, adonde a veces iban a cazar pajaritos.

Esa vez la mamá no sacó la cara por él. Ella también estaba enojada. Si no le dio un mamporro fue porque

Tamai se lo quedó todo para él, no le aflojó la cincha hasta que se le acalambró el brazo y el chicote empezó a sacarle ampollas en la mano.

Y para colmo encontró las entradas gratis que les había regalado el hombre del parque y las usó de a una para prenderse todos los puchos que se fumó entre la caída de la tarde y la nochecita.

Lo obligó a sentarse con él, debajo de la enramada, aunque el culo le quemaba por los chicotazos y las pajas de la silla le raspaban a través del pantaloncito.

–¿Así que te gustó el parque? –decía y la llama del papel se le reflejaba en esos ojos amarillos que tenía, cada vez que la acercaba a la boca. Después ponía el resto encendido arriba de la mesa hasta que terminaba de arder y salía volando en hilachas negras que se perdían en el aire.

A los días, cuando le levantaron el castigo y pudo volver a la calle, se enteró de que a Marciano no le había ido mejor que a él. Miranda también lo había cagado a palos. No le quemó las entradas, pero se las regaló a unos changos del barrio con la condición de que después vinieran y le contaran a Marciano lo bien que la habían pasado, lo mucho que se habían divertido.

Para cuando los dejaron salir de nuevo, dos semanas después, el parque se estaba yendo. Se fueron hasta la salida del pueblo y vieron pasar los camiones, la caravana de casillas rodantes. Les pareció ver al hombre que les había mostrado el barco pirata. Los había saludado desde la cabina de un camión, iba al lado del chofer. Pero no estaban seguros de que fuera el mismo. Capaz que era otro. Parecido.

No sería la primera vez que uno le robaba la hembra al otro, siempre se cagaban los fatos. Antes de empezar a ponerla, incluso, cuando los noviazgos eran inocentes, apenas unos besos y alguna metida de mano debajo de la ropa.

Muchas veces, sin saberlo, se habían acostado con la misma mujer. A los dos les gustaban las veteranas casadas y, más de una vez, había ocurrido que uno saliera por la puerta de atrás, mientras el otro entraba por la ventana. Esas mujeres no iban a desperdiciar la oportunidad de acostarse con dos pendejos la misma noche, tal vez la única noche libre de marido que tendrían en mucho tiempo.

Tenía que averiguar cuánto le importaba la changa Kowalsky a Marciano. Por una calentura pasajera no valía la pena hacer toda la movida.

Parece que esta noche anda de suerte. Porque no va que está tomando su porrón, solo en la barra, porque Cardozo y los compinches se fueron a bailar, y cae el hermano de Marciano, el Ángel Miranda, el que dicen los changos que es puto.

Y ha de ser, por la manera en que se viste, con ropa a la moda y ajustada. A él también le gusta usar los vaqueros apretados, pero este usa también las remeras y las camisas pegaditas al cuerpo. Si es puto, le puede dar la información que necesita. Porque a los putos les encanta el chismorreo.

Ahora, qué mala suerte la de Miranda tener un hermano desviado... si el viejo viviera.

–Eu, Pájaro... ¿tenés un pucho?

Saca el atado del bolsillo de la camisa y lo mueve hasta que asoma uno y se lo ofrece. Después agarra el encendedor y le acerca la llama. El otro le sonríe. Al final, va a ser más fácil de lo que pensaba.

–¿Estás solo?

–No. Con unos compinches. Andan por ahí.

–Hace mucho que no te veo.

–No andaremos por los mismos sitios.

Ángel hace señas a los bármanes, pero están tan atareados que no le prestan atención.

–¿Qué querés pedir? –le dice el Pájaro.

–Nada. Una cerveza.

–Tomá. Yo la acabo de comprar. Acompañame. Después te pedís otra.

Se levanta un poco de la butaca para agarrar un vaso de plástico de abajo de la barra. Le sirve.

–Gracias. Estoy muerto de sed.

Justo se desocupa una butaca. La arrastra y se sienta. Toma un trago largo.

–¿Viniste con tu hermano?

–No. Ni a palos. Vine con mis compinches de la escuela.

–Ah... estudiás.

–Estoy en quinto. En la comercio. Termino este año. ¿Me ves de ladrillero a mí? –dice y suelta una carcajada echando la cabeza hacia atrás.

–No... la verdad que no.

–Ojo. No estoy hablando mal, eh... no me malentiendas. Gracias a los ladrillos mi madre nos crió a todos. A los ladrillos y a los vestidos de novia –vuelve a reírse–. Mirá vos, justo las dos cosas que se necesita para armar una familia.

El Pájaro lo mira, serio. ¿De qué mierda está hablando este pendejo?

–Ladrillos para hacer la casa. El vestido para casarse.

–Ah...

–¿Vos no pensás en esas cosas, no?

–No.

–Sos igual que mi hermano.

Al Pájaro no le gusta el comentario. Tensa la mandíbula y toma un trago largo. Vuelve a llenarse el vaso y llena también el de Ángel.

–Epa... me querés emborrachar.

–Por ahí tu hermano sí anda pensando en esas cosas ¿no? Parece que está de novio.

–Sí... con la Yani Kowalsky. Igual a mí no me cuenta esas cosas. No creo. Capaz que él piensa... pero si el padre de ella se entera, se arma una...

–¿Por?

–Es bastante obvio. Él es un ladrillero y ella la Yani Kowalsky. Aparte ellos son evangelios...

–Por ahí a vos sí te aceptarían... como sos estudiante.

Ángel suelta otra carcajada.

–Por ahí soy yo el que no acepta.

–¿Por?...

El chango lo mira directo a los ojos. Aun bajo los colores cambiantes y movedizos de las luces estroboscópicas, los ojos de Ángel son expresivos. Se ríe, aunque esta vez sin alegría.

–No me gustan las gringas.

El Pájaro voltea la cabeza hacia la pista, hacia la marea de gente que baila apretujada. Está tan lleno que si uno se queda parado, puede bailar sin hacer nada, movido por el choque de los otros cuerpos.

Estuvo de más el comentario que le hizo al chango. ¿Qué esperabas, boludo, que te dijera que es puto así te le reís en la cara?

Busca algo para decirle y cuando lo encuentra y vuelve a girar la cabeza, la butaca está vacía, el chango se las tomó sin saludar.

–Culo roto... me chupó la cerveza y se fue a la mierda –murmura.

Esa semana el Pájaro trabajó sin descanso y no tuvo ganas ni de darse una vuelta por lo de los compinches. Por suerte había mucho laburo. Cuando paraba a fumarse un pucho y tomar un poco de agua fría, a la sombra, pensaba en Marciano noviando y en cagarle a la gringuita. Y después terminaba pensando en Ángel.

Lo había dejado con la palabra en la boca ese pendejo. Aunque era una boludez porque ni sabía qué iba a decirle, le daba bronca cada vez que se acordaba. Seguro que iba a levantarse tipos más grandes para que le pagaran los tragos. Esos maricas cuando son changuitos y lindos, porque el Ángel es un lindo chango, actúan así, venden el cuerpo por unos tragos... igual les gusta, eso es lo peor: podrían hacerlo gratis. Pero cuando se les pasa el cuarto de hora, los que tienen que terminar pagando son ellos. El puto se arruina más rápido que el hombre normal, dicen.

Una tardecita cayó Nango a visitarlo.

–Pará que me doy una ducha, estoy todo sudado. Andá haciendo un tereré, ¿querés?

La mamá y los hermanos se habían ido a visitar a la

Sonia, que estaba casada y acababa de comprar bebé. Ella y el marido vivían en Du Gratty.

Cuando salió del baño, el empleado, aprovechando que no había moros en la costa, se estaba subiendo a la bicicleta para irse.

–Eu, ¿ya te vas vos? –le gritó el Pájaro.

–Es que tengo que hacer unas cosas en el centro.

–Escuchalo a tu gato –dijo Nango, divertido–. A tomarse unos porrones se ha de ir.

–Está bien. Andá. Pero mañana te quiero tempranito acá, eh.

–Pero, sí, Pájaro... cuándo te llego tarde yo.

–¿Hiciste el mate?

–Cómo no. Acá lo tengo.

–Estoy molido, boludo.

–¿Mucho laburo?

–Uf...

–Mirá que mañana es sábado, che. Tenemos que salir.

–Vamos a ver –dijo dando una chupada al mate.

–Que no se diga, chamigo... qué pasa, nos vamos poniendo viejos... che, Pájaro, ¿viste que Marciano se está pinchando a la gringuita Kowalsky? Parece que fue él el que le rompió la telita...

El Pájaro soltó una risotada.

–¿Y vos cómo sabés tanto? ¿Fuiste colchón, acaso? ¿O forro?

–Viste que entre las changas se cuentan todo: con quién lo hicieron, cómo lo hicieron y cuántas veces... y a la radio vienen todas las pendejas a pedir temas, mandar saludos y todas esas boludeces. Se quedan en la cabina cebando mate... algunas son unas trolas bárbaras. Cuestión que mate va, mate viene, te cuentan estas cosas. Y ayer una dijo que la Yani se había acostado con el Marciano Miranda, bla, bla.

–Ajá... y oíme... el hermano, el Ángel, ¿será verdad que se la come?

–Yo qué sé. Dicen. Y es amigo de todas las pendejas. Y cuando un chango tiene muchas amigas, o la tiene así de grande o es puto. Y este me parece que más lo segundo que lo primero.

–Si el viejo Miranda viviera...

–El viejo le hubiese roto el culo, pero a patadas.

Los dos se rieron. El Pájaro pensó en contarle que se habían tomado una cerveza en la bailanta... pero mejor no. Nango era capaz de mandarlo al frente con los otros compinches y lo iban a agarrar para la joda. Aparte si lo invitó fue para sacarle información, nomás. Encima el putito este no tenía ni idea.

Al otro día, terminó tarde y estaba muerto. Se dio un baño y se tiró un rato. Se levantó como a las diez de la noche. El calor había aflojado un poco y la casa estaba silenciosa.

La encontró a la mamá en el patio, fumando y leyendo una revista. Le dio un beso.

–¿Descansaste, hijito?

–Sí –bostezó y se desperezó–. Un poco. Necesito dormir una semana seguida.

–Estoy haciendo unas pizzas.

–¿Y los changos?

–Se fueron a un cumpleaños.

–¿Querés que vaya a buscar unos porrones?

–Ya fui... están en el congelador, bien fresquitos.

–¿Te tomás uno?

–Más vale... o te creés que te los fui a comprar para vos.

–Borracha.

Celina se rió y le pegó con la revista en el culo cuando pasó a su lado.

–Más respeto, eh...

La cocina era un infierno con el horno prendido, pero ya salía olorcito a masa cocida. Probó la salsa y se agarró unas aceitunas.

Volvió al patio con unas jarras y la cerveza. Se olvidó el destapador, así que la abrió con los dientes.

–Qué hacés. No seas salvaje. Te vas a quedar sin dientes. Y así las changuitas no te van a querer.

–¿Y vos? ¿Me vas a querer igual?

–Siempre te voy a querer.

–¿Aunque me falten los dientes? ¿Aunque sea feo?

–Vos nunca vas a ser feo.

El Pájaro le dio un beso y Celina le acarició la nuca y le metió los dedos entre el pelo. Él sintió un escalofrío.

–Pará, que me erizo con esas uñas de gata que tenés.

Sirvió en las jarras y le alcanzó la suya a su mamá. Brindaron.

Celina recién había cumplido cuarenta y seguía siendo una mujer apetitosa, bien conservada. Sin embargo, desde que Tamai se fuera, nunca había vuelto a tener otro hombre, ni siquiera para pasar el tiempo.

–¿Por qué no te volvés a juntar? –le preguntó el Pájaro, de golpe.

Ella se rió.

–¿Juntarme? ¿Y con quién?

–No te faltarían candidatos.

–Ya estoy vieja para eso.

–¡Macana! Si estás más buena que un pedazo de pan...

–¿Y quién dice eso?

–Mis compinches... yo no puedo, sos mi mamá. Que si no...

Soltaron una carcajada.

–Me voy a ver las pizzas.

–Sí. Hay olor a quemado.

No iba a salir, pero Celina lo convenció.

–Andá, despéjate un poco. Trabajás toda la semana como un negro. Te merecés divertirte un poco.

Así que fue a la pieza, se cambió la ropa y se perfumó.

–¿Te vas en la moto?

–Sí. Voy a dar unas vueltas a ver si encuentro a los compinches.

–Tené cuidado, hijo. Y no tomés demasiado.

Hacía poco se había comprado una Cross 125 y salió haciendo tronar el escape.

Anoche estaba caú. Esa fue la excusa que se dio a sí mismo cuando se despertó al día siguiente con la cabeza partida al medio, un poco después de despertarse, cuando se empezó a acordar. Después de enjuagarse de la boca el regusto pastoso a porrón y tabaco, de tomarse dos Uvasal, de darse una ducha fría y salir mojado, con una toalla en la cintura, a sentarse bajo la enramada. Después de tomarse los primeros mates con carqueja que le alcanzó la mamá. Enseguida, cuando ella, pícara, mirándolo con esa mirada que nunca termina de ser de madre o que, en algún punto, nunca sabe dónde termina de ser de madre y empieza a ser de mujer, chupando el mate seco que él le había devuelto, le dijo:

–Qué habrás andado haciendo anoche.

Cuando se dio cuenta de que por primera vez le molestaba la pregunta, que lo mirase de esa manera cómplice, que se quedase esperando detalles, alguna grosería, como si no fuese la mamá y él el hijo, sino dos amigos.

Capaz que ahí, cuando quiso acordarse y contarle, o cuando quiso saber por qué le molestaba una situación que se repetía cada vez que él salía de joda, capaz que ahí se acordó de todo de golpe y se dijo: estaba caú.

Ahí fue cuando se paró y se metió en la pieza y cerró la puerta y se tiró en la cama que todavía ardía. En la oscuridad, prendió un pucho, y empezó a acordarse de todo, o de casi todo, de lo más importante.

Ve otra vez la nuca que él mordisquea despacito mientras con la mano levanta el puñado de cabellos oscuros y sedosos, los hombros huesudos por donde va bajando con los dientes. Se ve soltando los cabellos y apoyando esa mano en la pared mugrienta del baño. En la palma siente el retumbe de la música de la bailanta haciendo latir los ladrillos como si tuvieran vida. La otra mano soltando el cinturón, bajando la bragueta, tironeando pantalón y calzoncillo; el otro ayudando con sus propias prendas, hasta quedar los dos con los pantalones en las rodillas. El Pájaro lamiendo, mordiendo, chupando la espalda ajena, dando manotazos con la mano libre; el otro conduciendo, ayudando, escupiendo en su palma y ensalivándose el culo, manoteándole la verga y metiéndosela bien adentro; el Pájaro mareado, agarrándole la pija para no caerse en el charco de meo y vómito que inunda el piso del excusado, agarrándosela y pajeándolo como si la del otro fuese la suya, empujando de atrás con tanta fuerza que parece mismo que la chota que agarra es la propia que ha atravesado al compañero y le sale por el otro lado. Entonces lo pajea como si se estuviera pajeando él mismo.

La música brotando de las paredes. Las caderas del Pájaro moviéndose como si bailara, el brazo tenso sacudiéndole la pija al mismo ritmo que sacude la propia, enterrada en la carne blanda del otro; la guasca tibia llenándole la palma. Los dos resollando, con las piernas trembleques.

El Pájaro saliendo, subiéndose los pantalones, yéndose rápidamente del baño, sin mirar para atrás.

En la pieza, con los postigos cerrados para contener el tórrido verano de afuera, Pajarito apagó un pucho y prendió otro. Se arrancó de la cintura la toalla húmeda y quedó en cueros, las morosas aspas del ventilador tirándole aire caliente sobre el cuerpo, moviendo apenas los pelos del pubis como mueve el viento norte el pasto chuza a la orilla de los bañados que visitaba de changuito. En esas tardes, él y los compinches también se desnudaban y se metían en el agua, en esa sopa tibia en que se convertía la laguna, sintiendo el barro del fondo entre los dedos de los pies.

Era sensual el agua espesa, aterciopelada, cubriéndolo de la cintura para abajo. Él se quedaba quieto, sintiendo los suaves golpecitos del oleaje que formaban los compinches con sus juegos y su alboroto. El pito se le ponía duro y se le hacía como un hueco en la panza. Quedaba en ese pequeño trance hasta que alguno de los amigos venía de atrás y lo empujaba zambulléndolo entero. Entonces sí se prendía con los demás y eso que acababa de pasarle, dejaba de pasarle.

Cuando se cansaba de jugar, salía del agua y se tendía en la orilla, los pastos le hincaban la espalda y las nalgas, y se acordaba de un faquir que había venido una vez al pueblo y que se acostaba sobre una cama de clavos. Debía ser una sensación parecida: dolorosa, pero placentera porque al cabo de un ratito ya no sentía las chuzas de los pastos y se dejaba estar con los ojos entrecerrados, mirando el cielo, las nubes, los penachos blancos de las cortaderas, la sombra de algún caracolero que aterrizaba cerca suyo en busca de comida, y el sol, quemándole las partes.

Doloroso al principio, pero al fin y al cabo placentero, sino no se dejarían, pensó. Les gusta, si no. Putos de mierda.

Alargó la mano y se tocó la pija, tironeó la finísima piel de la vaina, estaba caliente; si presionaba apenas los dedos, podía sentir el bombeo de la sangre.

Cómo fuiste a meterla ahí, pelotudo; se dijo. Pajero, te empedás y hacés cualquier boludez.

Se refregó la cara con las manos y se dio dos golpes con la palma abierta cerca de la oreja. Quedó zumbando.

Tenía que salir y garcharse una pendeja ahora mismo. Agarrar y oler una concha, meterle la lengua hasta el fondo, chuparle todo el jugo a ver si se saca el olor a meo y a mierda del baño de la bailanta, a ver si se saca el gusto a porrón tibio que le queda de anoche, y el ruido de la música que le hace doler la cabeza.

Se va a levantar y se va a vestir. Va a agarrar la moto y va a salir. Va a buscar a la Vero o a la que encuentre. Va

a alquilar una pieza en lo de Serra. A la que sea le va a sacar la ropa, la va a tirar en bolas sobre la cama, se la va a
coger bien cogida, va a esperar un rato y se la va a volver
a coger y la va a seguir cogiendo hasta que el recuerdo
inmundo de la noche anterior se le borre para siempre.

El sonido de las botas metiéndose y saliendo del barro. Flap, flap. El tipo va rodeando el cuerpo, se inclina un poco para mirar de cerca, se aleja, achica los ojitos amarillos. Desconfiado el zorro viejo. Se pone en cuclillas y se raja un pedo. Prende un pucho.

–Eu. ¿Me oís? Espabilá, pendejo.

La risita.

–Dejá de hacerte el muerto.

La patada en las costillas.

–Eso duele, hijoputa.

–Más respeto, cursiento. Mirá que no está tu madre pá apañarte.

El tirón en el pelo, el sacudón de cabeza.

–Abrí los ojos. Vamo, eh.

–¿Y vos qué hacés acá?

–Nada. Vine a ver nomás.

–A ver ¿qué?

–A ver cómo te vas muriendo.

La carcajada.

–No te voy a dar el gusto, Tamai.

–Güeeee, si ya estás con una pata en el cajón.

–Cerrá el culo.

Otra patada.

–Íjole... no bajás el copete, eh.

–Mirá quién habla.

–Aaaajá. Vamo, levantate che.

–Dejame. Oíme, pero ¿vos no andabas...?

–Volví.

–¿Cuándo?

–Hace un tiempo.

–¿La mamá sabe?

–No, qué va... pero ahora, quién te dice, le hago una visita. Va a necesitar consuelo...

Otra vez la risa con toda la boca abierta. ¿Le falta un diente? O dos... ¿Está en pedo? Seguro.

–Pobrecita la Celina. Qué va a ser ahora sin el cachorrito. Capaz que le va a hacer falta un perro viejo. Viejo y cojudo.

–Perro. Eso sí.

La bota arriba del pecho. ¿Y esa bota? El vaquero metido adentro de la caña, una bota bordada con lentejuelas verdes y amarillas y plumas de faisán como espolones. ¡Qué risa!

–¿Venís de la comparsa?

–¿Eh?

–Nada.

Por más adornos que tenga pesa lo mismo. La pata de un elefante arriba del pecho.

–Pará. Me falta el aire.

–Güeeeee. Que no tenga que hacerte respiración boca a boca.

–Sos gracioso, eh.

–Y... andan diciendo...

La risa guaranga.

–Así que te había gustado la carne 'e chancho, che.

–¿A qué viniste?

–A conversar con vos. Sos mi hijo. Te estás muriendo. Dejame que te acompañe.

–Más vale solo...

–A la final lo único que ganó tu madre fue sacar un hijo puto.

–Limpiáte el pico antes de hablar...

–¡Maricón! Tan gallito que te créias...

Tres sábados se mantuvo lejos de la bailanta y de cualquier sitio adonde pudiera toparse con Ángel Miranda. Ni por delante de su casa pasaba; si tenía que ir por ahí, daba todos los rodeos posibles, aunque el camino fuese más largo.

Se juntaba con los compinches en lo de Cardozo, como siempre, y cuando los otros se iban al baile, él se quedaba. Les hizo el cuento de que se estaba culeando a una casada. Una maestra que vivía por la vieja estación de trenes, con la que había tenido algo hacía un tiempo. Que se quedaba un rato y después se iba para su casa. El marido de la maestra era sereno en un corralón.

No quería volver temprano a su casa. Ahí en lo de Cardozo estaba solo y tenía ganas de estar solo. Se bajaba un par de porrones y no hacía nada. A veces se terminaba el disco que los compinches habían dejado en la compactera y ni se molestaba en poner otro.

Al cuarto sábado, no se aguantó más. Se dijo que iba a ir al baile a buscarlo y lo iba a cagar a trompadas. A sacudirlo un poco, al menos, porque se notaba que ese pendejo nunca había peleado con nadie y tampoco era cuestión de aprovecharse. Pero un par de manos le iba a meter, cosa que le quede bien clarito que eso que pasó, había pasado porque él estaba en pedo y no sabía lo que hacía. Que se grabara bien grabado que a él no le gustaban los putos y que lo dejara tranquilo.

Si tenía suerte, capaz que Marciano se metía a defender al hermanito y con él sí iban a poder pelear de hombre a hombre, iba a poder sacarse toda la rabia que tenía adentro.

Esa noche tampoco quiso ir con los otros. Esperó un rato y después cayó solo al baile. Estacionó la moto donde pudo y llegó caminando. A la tarde había estado lloviendo y había refrescado. Era una noche linda, con ese olor a nuevo que tiene el aire después de las lluvias.

Entró y se fue directo a la barra. Aunque no había tanta gente como las veces anteriores, igual adentro hacía calor y estaba tufiento. Se sentó en una banqueta y se pidió un porrón y estuvo un rato cogoteando a ver si lo veía entre los grupos que bailaban en la pista. Nada. Se sirvió lo que quedaba en la botella y se fue a dar una vuelta por los otros pisos. En una de las escaleras lo vio a Cardozo. Tenía a una minita apretada contra la pared. Cuando pasó al lado le tocó el culo y el compinche dio vuelta la cabeza para putearlo. Lo saludó con la mano y el otro se rió y volvió a lo suyo. Quiso entrar al VIP y no lo dejaron porque no tenía el pase.

–Soy el compinche de Nango –dijo, pero el mono de seguridad se mantuvo implacable. Traían patovicas de afuera, que no conocían a nadie, para frenar a los colados. Lo mismo en la barra, todos tipos de afuera para que no le regalaran tragos a nadie.

Bajó y se compró otra cerveza, evitando a los conocidos: no tenía ganas de hacer sociales; no había venido a divertirse. Cerca de los baños se la encontró a la Vero, que estaba haciendo cola para entrar. Pensaba hacerse el sota, pero ella lo vio, le dijo algo a la que estaba atrás de ella, que le guarde el turno, seguro, y vino a saludarlo.

–Eu, Pájaro –le dijo y le dio un beso cerca de la oreja. Un beso húmedo: la llave para lo que él quisiera.

–Andás perdido... hace mucho que no nos vemos.

Él se encogió de hombros y le ofreció un trago.

–Ahora no. Me estoy meando –dijo ella cruzando las piernas y agarrándose abajo de la panza.

–Andá. Que te van a sacar el turno.

–Pero después nos vemos, eh. Quedate por acá que esta noche estoy solita. Después te busco y te acepto el trago.

Le dijo que sí y ella se fue corriendo a ocupar su lugar en la cola.

La música lo estaba aturdiendo, así que decidió salir un rato. Al costado de la entrada había un murito de cemento y se sentó allí a terminar la cerveza. Prendió un

cigarrillo y miró hacia arriba. Hasta las estrellas brillaban más, como si estuviesen recién lavadas.

–Eu... el baile es adentro...

La voz de Ángel, que llegó de atrás suyo, le dio un frío
en la panza. Antes de que pudiera darse vuelta, el chango
saltó el murito y se le paró enfrente. Tenía un vaso en la
mano y prendió un cigarrillo.

–Salí a respirar un poco. Adentro está pesado.

El Pájaro no le contestó ni lo miró. Había clavado la
vista en el piso. Si lo miro, pensó, lo cago a trompadas... y
a la final no vale la pena, sería como pegarle a una mujer
o a un changuito. El corazón le latía a toda marcha.

Ángel se sentó en el mismo muro, pero a distancia
prudente. Apoyó un pie en el mismo asiento y descansó
el brazo sobre la rodilla. Ángel tampoco lo miraba. Miraba al frente, a lo lejos. Su mirada se perdía allí donde no
llegaban las luces de la calle.

–Vine a buscarte... –dijo el Pájaro y tomó un trago
para aclararse la garganta.

–Y yo te encontré primero –dijo Ángel.

El Pájaro se rió, de nervios.

–Parece...

–Andás perdido...

–Un poco.

–Si hasta mi hermano te anda extrañando.

–No digas.

Siguieron bebiendo en silencio. Prendieron otros cigarrillos. El Pájaro estaba inquieto.

–Tengo la moto –dijo–. ¿Querés dar una vuelta?

–Bueno.

–¿En serio?

–Sí. Me encantan las motos.

–La voy a buscar. Esperame a la vuelta.

Ángel se rió despacito y le dio una última calada al cigarrillo. Lo tiró de un tincazo y terminó su bebida.

–Claro –dijo.

Se encontraron en la otra cuadra. Ángel subió a la moto y se agarró de abajo del asiento con las dos manos. El Pájaro la sacó arando y atravesaron el pueblo a toda velocidad. Recién cuando agarraron el camino que va a La Tigra, aminoró la marcha.

El aire estaba fresco y los árboles al costado de la ruta dibujaban formas oscuras que se recortaban contra la claridad lunar que bañaba los campos.

Cuando Ángel lo abrazó por la cintura, el Pájaro sintió que, por fin, se le iba ese frío que tenía en las entrañas.

Fue Luján el que le vino con el cuento a Marciano.

–La otra vuelta lo vi a tu hermanito...

–¿Y?

–Que no andaba solo.

A Marciano lo enfurecía que le vinieran con historias del hermano. A más de uno le había roto el hocico por decir que el Angelito era marica, y aunque Luján fuese su compinche no le iba a permitir que le viniera con eso.

–Mejor cerrá el culo, Luján...

Estaban jugando al pool y de la bronca arañó el paño con el taco.

–Puta madre –dijo.

–Dejame que termine. No te calentés, pero te lo tengo que decir. Si no te lo digo, después te vas a calentar el doble, cuando te enteres por otro lado.

–Largá de una vez –le dijo de mala gana agarrando el pucho encendido que había dejado en el borde de la mesa.

–Lo vi con Tamai, en la moto.

Marciano soltó una carcajada.

—Esa está buena, Luján... y qué va a andar haciendo el Angelito con Tamai. No ves que decís cualquier boludez porque te voy ganando, gil.

—No sé lo que harán... no es cosa mía. Pero los vi bien tarde la otra noche. Yo estaba cargando combustible en la Shell y los vi pasar en la moto.

—Bien tarde habrás estado bien mamado.

Marciano rió moviendo la cabeza y se inclinó apoyándose en una sola pierna para dar el golpe. Su última bola entró limpita en la buchaca.

—Después no digas que no te dije.

—Perdiste, bocón. Te toca pagar los porrones.

Siguieron jugando y bebiendo y Luján no volvió sobre el asunto. Conocía bien a su compinche y sabía que no le gustaba que le hablaran del Ángel. Pero él los había visto bien: eran el Pájaro y Angelito, en moto. No decía que estuvieran haciendo nada malo; pero que era raro, era raro.

Por más que Marciano no le diera crédito a Luján, sabía que no le estaba mintiendo. Si decía que los había visto, era cierto. Luján era su compinche y no iba a andar inventando una cosa así.

Está bien que él no se llevaba bien con Angelito. Nunca se habían llevado y culpa de la mamá que lo sobreprotegía el chango había salido medio afeminado. Pero ya se le iba a pasar. Era cuestión de que conociera a una changa que lo diera vuelta como a una media y listo el pollo. ¿Pero qué tenía que hacer su hermano con su peor enemigo?

Tenía que averiguarlo porque vaya a saber qué se traía entre manos el Pájaro Tamai. Era capaz de envenenarle la cabeza al Ángel para ponerlo en su contra. Y lo último que le faltaba era un traidor en la familia.

Al otro día le preguntó a la mamá si sabía algo y Estela aprovechó para darle lata.

–Y yo qué sé... ustedes a mí nunca me cuentan nada de lo que hacen. En eso salieron igual a su papá. Yo estoy todo el día acá meta pedal en la máquina. Ángel a mí no me cuenta nada. No sé adónde va ni qué hace. Además ya es grande para que lo ande vigilando. Y justo vos me venís con eso, que siempre me reprochaste que lo tenía agarrado a las polleras... ahora que no le ando atrás, me venís a preguntar sobre lo que hace y lo que no hace. Quién los entiende a ustedes. Yo ya les crié, mi hijo, y les crié para que sean gente de bien...

Marciano puso los ojos en blanco. ¡Quién lo mandaba a darle cuerda!

–Si vos no hubieses sido siempre tan malo con tu hermano, él te confiaría sus cosas... después de todo sos el hermano mayor. Vos tendrías que aconsejarlo siendo que el pobrecito se quedó sin papá de tan chiquito. ¿Con uno de los Tamai, decís? No creo... el Ángel sabe que nunca nos llevamos con esa familia. Qué va a andar haciendo con uno de ellos.

A las mellizas ni se molestaba en preguntarles. Esas dos cursientas siempre estaban complotadas con el Ángel, le tapaban sus macanas y él les taparía las de ellas, seguro.

Tendría que averiguar él solo si su hermano andaba de compinche con el Pájaro.

La mamá tenía razón: él nunca le había dado pelota al hermano. De changuitos por celos, después porque lo fastidiaba que el otro no fuese igual a él y a su padre. Quizá le había exigido demasiado y por eso ahora andaba cada cual por su camino. Él lo quería sacar bueno, sintió que le correspondía la educación de su hermano cuando Miranda murió, pero en vez de eso lo único que había logrado era espantarlo.

Los días siguientes intentó acercarse. Pensó que no sería difícil: después de todo el Ángel siempre había querido que fuesen compinches y él lo había rechazado.

Una noche, después de comer, lo invitó a tomar una cerveza en el pool.

–Bueno. Pero una sola porque más tarde quedé con unos compinches.

A Marciano le molestó su respuesta, pero se calló la boca.

–Está bien. Una –dijo.

Como él tenía la moto en el taller, se fueron en la zanelita de Ángel. Hicieron el camino en silencio.

Buscaron una mesa alejada: Marciano no quería que se les sumara Luján o algún compinche. Quería que tuviesen una conversación de hombre a hombre.

Prendieron un cigarrillo y cada uno bebió de su jarra. Aunque Ángel era de por sí conversador, se mantuvo callado, como si no se la quisiera hacer tan fácil al hermano. Eso pensó Marciano, se está tomando revancha; pero, en realidad, el chango estaba perdido en sus propios pensamientos que eran uno solo: el Pájaro. Por fin sentía que tenía algo solo para él, algo tan inmenso que todo lo demás pasaba a segundo plano.

–Y contame... en qué andás.

–¿De qué?

–Tus cosas.

–Ah... bien. ¿Por?

–Por nada. Por conversar... no nos vamos a tomar este porrón callados ¿no?

Ángel sonrió.

–Vos nunca fuiste de mucho hablar.

–Bueno, pero ahora tengo ganas de charlar. Qué tiene de malo.

–Nada. Es que... –iba a decir que no tenían tema, pero mejor dejó la frase en el aire.

–¿Y adónde te vas?

–¿Cuándo?

–Después... dijiste que podías quedarte un rato nomás.

–Ah... de unos compinches. Vamos a abrir la boca un rato nomás.

–¿Quién?

–No conocés... son unos changos de la escuela.

–No tendrás una noviecita por ahí vos...

Ángel se rió.

–No...

–Ah, vamos, algo debés tener. Pinta no te falta.

–¿Y vos?

–¿Qué?

–Con la Yani... ¿todo bien?

Marciano se encogió de hombros y llenó las jarras. No le gustaba hablar de sus cosas.

–¿Estás enamorado?

–No seas pavo, Ángel.

–No tiene nada de malo.

–¿Y vos?

–Yo sí.

–¿Y de quién?

–Ah. Menos averigua Dios y más perdona.

Marciano empezó a irritarse. Casi se terminaban el porrón y todavía no sacaba nada en claro. Por qué no hablaban de motos o de básquet como con los otros compinches.

–Y aparte de los changos de la escuela... ¿tenés algún compinche nuevo?

Ángel sintió una luz de alarma.

–No... –dijo–. Pero ¿a qué viene tanto interés de pronto?

–Soy tu hermano mayor. Si el papá viviera...

–El papá está muerto. Ya ni me acuerdo de cómo era.

–No digas pelotudeces...

–Si él no pensó en nosotros, por qué tengo que pensar en él.

–Mejor cállate, Ángel.

–Sí, mejor me voy.

Se paró y de pie hizo fondo blanco con la cerveza.

–Ya está. Ya nos tomamos el bendito porrón.

Por la ventana lo vio subirse a la zanelita y dar marcha atrás hasta la calle. Pendejo de mierda. Lo dejó con la palabra en la boca. Estaba claro que escondía algo.

Volvió a la casa temprano. No estaba de humor para quedarse chupando con los compinches. Se acostó y Ángel todavía no había vuelto. No podía dormirse. Estaba embroncado.

A la madrugada escuchó la motito del hermano entrando a la casa. Y al ratito, el rugido de una Cross 125 que fue a morir a poca distancia, una cuadra calculó: justo en la esquina donde vive su enemigo.

Después de esa noche, siguió tratando de acercarse al Ángel pero el chango no le dio mucha cabida, como si ya hubiese adivinado sus intenciones.

Si no podía saber en qué andaba su hermano, pues vería en qué andaba el Pájaro Tamai. Una nochecita le pidió el auto a Luján y estuvo montando guardia cerca de la casa del Pájaro. Después de la cena, lo vio salir en la moto. Lo siguió a prudente distancia. Atravesó raudamente el pueblo. En los eucaliptos de la salida, aminoró la marcha y se detuvo un momento en el playón que entra al parador de camiones. Alguien montó detrás. Volvió al asfalto. A la luz de los faroles de la calle, distinguió que el acompañante era Ángel. El Pájaro volvió a levantar la velocidad y agarró la ruta.

Aunque con lo que había visto era suficiente, Marciano decidió ir hasta las últimas consecuencias. Si esa era la noche de la verdad, tendría que aguantársela.

Siguió la moto que de a ratos se le escabullía delante de un camión o de otro coche. A unos diez kilómetros del pueblo los vio desviarse y estacionar en un hotelucho al costado del camino.

La bota bordada con lentejuelas y plumas de faisán vuela por el aire. El cielo de blanco se ha puesto azul. Pero azul, azul como en las postales. La bota gira largando destellos y en una de las vueltas se transforma en una culebra que también da giros, ondula en ese día luminoso, según el movimiento enseña el lomo verde o la panza blanca. ¿Está muerta? Le parece escuchar el siseo de la bicha que sigue coleteando y no aterriza nunca. Corre atrás, como un chico persiguiendo la cola de un barrilete, corre entre los pastos de la laguna agarrándose el costado para que no se le salgan las tripas. Quiere ver adónde cae, si está viva. En eso le llega el ruido del agua. Las brazadas de Tamai en la laguna, sus chapoteos juguetones y la invitación.

–¡Vení! Dale que está de linda...

Pero no pierde de vista la culebra que empieza a perder altura y cae entre los pastizales. Corre más rápido hasta allí. Piensa en agarrarla y revoleársela a Tamai, pegarle un cagazo, reírse un poco.

–¡Chaque la culebra!

Y cuando por fin llega, en vez de la bicha, allí entre los pastos, hay un acordeón, desplegado, como si también el instrumento quisiera huir de él. Las teclas de nácar espejean al sol y cuando se inclina un poco para agarrarlo, le agarra el mareo y cae redondo entre los yuyos.

Parpadea. El cielo azul. En la postal se mete un biguá que viene volando. Volando y chillando biguáaa, biguáaa y el chillido del pájaro se pega al chillido del acordeón guá-guá-guaguaguaguá.

Se apoya en un codo para incorporarse a medias.

Tamai en cueros, parado en una pata como una garza, está tocando el instrumento, lo tiene un poco en el aire y otro poco apoyado sobre el muslo levantado, y mueve los hombros y la cabeza acompañando el compás de un chamamé. Del cabello le chorrea agua y está sonriendo.

–No sabía que tocás –le dice el Pájaro en voz bien alta para hacerse oír por encima de la música.

–Hay muchas cosas que no sabés. Tamai es un bicho escondedor –le dice su padre guiñándole un ojo. Y enseguida levanta la cabeza, abre la boca y empieza a salir el sapucai mismo de la entraña.

–Parecés un bombón de telenovela –dijo Ángel, riéndose.

Marciano le amagó un revés desde el espejo y el otro volvió a reírse y echó la cabeza sobre la almohada y se puso a leer la revista con la que, antes, se estaba abanicando.

Desde que lo había visto en el hotel, Marciano no podía ni mirarlo a la cara sin que le volviera la rabia espantosa, las ganas tremendas de cagarlo a trompadas. Casi no le dirigía la palabra, aunque, a decir verdad, la situación no era muy distinta a como había sido siempre entre ellos dos.

Se puso el cinto, se echó un poco de perfume, agarró la campera y salió de la pieza sin despedirse.

Ángel dejó la revista y prendió un cigarrillo. Esa noche el Pájaro salía con los compinches. Él no tenía ganas de hacer nada, así que se quedaría en la casa mirando televisión. Aunque Marciano había dejado de hacerle preguntas, estaba seguro de que sabía algo. Se lo había advertido al Pájaro, para que su hermano no lo agarrara desprevenido.

Marciano le dio un beso a la mamá. Cuando puso un pie afuera de la casa, palpó el bolsillo interno de la campera: la sevillana estaba ahí, podía sentir el brillo helado de la hoja. Había sido de su abuelo, y del abuelo pasó al padre, aunque Miranda la tenía guardada como un recuerdo de familia; nunca la había usado. Si la hubiera llevado esa noche, pensaba siempre Marciano, quizá la historia habría sido diferente.

Cuando salió a los primeros bailes, a los catorce o quince, empezó a llevarla con él. Nunca la había usado, solo la había sacado, a veces, para impresionar a los compinches, pero se sentía seguro sabiendo que la tenía a mano. Sabía usarla y, si un día tenía que hacerlo, no le temblaría el pulso. Luján y otro de los amigos siempre andaban calzados. Una vuelta le habían ofrecido una pistola, pero no la quiso.

–A las armas las carga el diablo –dijo y los otros se le cagaron de risa. No le gustaban las armas de fuego.

En su pieza, Pájaro también se vistió y se perfumó. Se iban a juntar en lo de Cardozo a entonarse con unas cervezas y después iban a arrancar la gira en el parque de diversiones. De allí, seguramente se irían a la bailanta. Hacía mucho que no salía con los compinches.

–Mirate qué lindo que estás, mi hijo –dijo Celina.

El Pájaro se rió y le guiñó un ojo.

–Un día de estos me quedo sin hijo.

–Yo nunca te voy a dejar a vos.

Se dieron un abrazo.

–Cuidate, hijo.

Subió a la moto y se fue.

Estuvieron en lo de Cardozo hasta pasadas las doce. Dejó la moto allí y se amontonaron todos en el auto de Nango. Además de ellos, estaba Josecito con un par de compinches. No los conocía, pero parecían macanudos. Josecito dos por tres caía con amigos nuevos, gente que sacaba no se sabía de dónde y algo les decía que mejor ni averiguar.

Cuando llegaron, el parque estaba lleno. Como siempre, todos seguían atrás de la novedad.

–Para el viernes que viene, no viene ni el loro, te garanto. Ya duró mucho el entusiasmo –dijo Nango que siempre estaba renegando con las costumbres del pueblo.

–Ya salió el analista –dijo Cardozo–. Cerrá el pico y vamos a divertirnos, che. Guaaaa, mirá la montaña rusa que se mandaron estos gatos.

El parque estaba bien puesto y había unos cuantos juegos mecánicos, todos iluminados y con música, había colas para subir a todos. Era una noche linda.

Dieron unas vueltas y se tomaron unos porrones. Probaron con los juegos de destreza y de azar, pero no tuvieron suerte ni pulso.

–Esto está hecho para que no gane nadie –protestó Nango que se había empeñado en embocar las argollas y llevarse el premio mayor: un peluche roñoso que parecía querer quedarse para siempre, envejeciendo y destiñéndose en el exhibidor.

–Dejá de jeder –dijo Cardozo–, ¿o querés el osito para ir a dormir? Vámonos de estos juegos de vieja, a ver si nos podemos subir a alguna cosa, che.

Cuando bajaron de la vuelta al mundo, Cardozo y Pajarito buscaron a los demás y se fueron para la cantina. A esa hora, ya las familias y la gente mayor empezaban a retirarse y solo iba quedando la pendejada. La cerveza estaba barata, así que los changos iban a estirar la noche allí antes de caer al boliche o a la bailanta.

Habían puesto unos tablones sobre unos caballetes y varios freezers grandotes de donde sacaban los porrones a punto caramelo: te metías un trago en la boca y podías masticarlo de frío que estaba. También había unas mesas con sillas, pero nadie hacía uso. Los changos estaban en grupitos, chupando de parados.

El Pájaro y los suyos también. Estaban charlando y tomando, riéndose con los cuentos de los compinches de Josecito. Entretenidos y ya picados por los porrones, no prestaban atención a lo que pasaba alrededor de ellos.

Le hubiera gustado que la última escena, esa que pasa frente a los ojos justo antes de cerrarlos para siempre, fuese aquella en la que Ángel y él salen del pueblo en la moto, en el medio de la noche, con el acelerador al taco. Apenas dejan atrás los árboles de la rotonda, las luces pobres del último pool, la fila de camiones estacionados frente a las desmotadoras, Ángel pega el pecho a su espalda y le rodea la cintura con los brazos, siente su mentón sobre el hombro, los chorritos de respiración tibia contra la oreja. Esa escena que ha sido la misma muchas veces en los últimos meses y, al mismo tiempo, siempre es distinta, siempre nueva.

Si pudiera elegir, elegiría estar otra vez los dos arriba de la moto. El viento cálido en la cara, el asfalto brillante bajo la noche despejada. La sensación de ser dueños de su destino.

Pero no es esa escena la que viene. En vez del pecho de Ángel contra su espalda, es su hombro contra el pecho de Marciano. Esta escena también se repite muchas veces en todos estos años, con pequeñas variantes. A veces es el hombro de Marciano contra su pecho. Lo que no cambia es que esa es la señal esperada para la pelea.

–No me pechés, eh.

No importa quién de los dos lo dice.

Un hombro toca el torso del otro, los cuerpos se rechazan y dan un paso atrás, las piernas se afirman en el suelo, entreabiertas.

–Qué pechás, vos, eh.

Los mentones ligeramente levantados. Los ojos clavados en los ojos.

El resto apenas importa: una tarde en que el sol raja la tierra, una noche cerrada, la pista de una bailanta, el potrero del barrio bajo la luz rosa del atardecer, una calle del centro.

En cambio, la música es siempre la misma: el resuello, el ruido de los puños, el crujido de los nudillos antes de dar el primer golpe, el chistido de algún salivazo, algún quejido cuando un puño se clava en el hígado y la arenga de los compinches, siempre en un tono más bajo para no distraer ni distraerse, alguna exclamación extasiada porque es una belleza verlos pelear.

La coreografía fue sufriendo variantes: de la habilidad bruta a la destreza refinada. Fue cambiando junto con los cuerpos. Ese primer contacto del hombro contra el pecho fue dando una idea clara de las transformaciones: un día el hombro en vez de ir a dar contra el torso huesudo, se hundió en un pectoral hinchado; otro sintió el músculo duro, el botón de la tetilla parándose al roce. Al acto primero de afirmar las piernas, le sobreviene sacarse la remera, los ojos solo se pierden en el instante en que el trapo pasa delante de la vista; como en el pase de un mago ahora echan chispas mientras estudian el cuerpo del otro, tan parecido al propio. Con el paso de los años, donde solo había piel y hueso adolescente, empezó a verse una línea de vello negro creciendo desde abajo de la cintura del vaquero, subiendo por encima del ombligo, ramificándose suavemente en la zona del pecho, formando una sombra. Un día los brazos dejaron de crecer a lo largo, para crecer a lo ancho. Los pantalones dejaron de flamear desde las caderas a los tobillos, para ceñirse a muslos, trasero y bulto. Un día cada uno tuvo enfrente a un hombre.

En esta escena están a punto de pelear, aunque no puede adivinar quién será el ganador. A veces terminaban los dos mordiendo el polvo y los amigos de cada bando tenían que llevarlos a rastras a la casa. Piensa que ya que no puede elegir la última escena, que por lo menos le toque una en la que el vencedor sea él. Qué amargura irse a la tumba con Marciano Miranda poniéndolo a hacer ceros con el culo.

Están a punto de pelear, pero no pasa nada. No sabe por qué, pero no pasa nada. En vez de echarse sobre el otro como tantas veces, el Pájaro levanta la cabeza y mira el cielo: azul, sin una sola nube.

El Pájaro sintió, primero, la mano en el hombro y, cuando se dio vuelta, el puño en la quijada. Se tambaleó y el porrón se le resbaló de la mano. Los compinches lo sostuvieron. Sacudió la cabeza para aclarársela y lo vio a Marciano Miranda, parado enfrente, esperando que se repusiera. Quería que el Pájaro y todos los que estaban alrededor pudieran escuchar lo que tenía que decir antes de abalanzarse sobre su enemigo. Quería, además, darle la oportunidad de defenderse, armar la pelea, darle forma al duelo.

Los compinches de Josecito quisieron tirarse sobre los otros enseguida, pero Cardozo los paró.

–Esto es entre ellos dos. Nosotros todavía no entramos –les dijo tan claro que se quedaron en el molde. Luján y toda la barrita de Miranda también esperaban, a su retaguardia.

–Así que te estás cogiendo a mi hermano, puto de mierda.

Y todo empezó a puño limpio. Apenas se tocaron, los cuerpos se reconocieron. Otra vez el olor de la sangre del otro en los nudillos; el olor del enemigo, renovado, tan parecido al propio.

Fue Cardozo el que vio el brillo de plata aparecer, de repente, en la mano de Marciano Miranda. Fue él quien, ni lerdo ni perezoso, puso su propia navaja en la mano del Pájaro Tamai. El Pájaro lo miró sin entender del todo, abombado por los golpes. Sin embargo, el instinto no tuvo que pensárselo dos veces. Los filos hambrientos buscaron la carne enemiga.

Allí empezó todo y siguieron los tiros, las corridas, el griterío y se armó el desbande.

Quedaron los dos echados en el barro, a pocos metros de distancia. Los ojos bien abiertos, fijos en el cielo. Todo blanco. Todo rojo. Todo blanco.

El patrullero orilla despacito la cuneta y frena.

Rebolledo y Mamani bajan cada uno por su lado y, como si lo hubiesen ensayado, los dos se acomodan el cinto abajo de la panza antes de empezar a caminar.

Estuvieron hace un rato con la ambulancia que se llevó los cuerpos y volvieron, ahora, a dar un último vistazo.

El parque está completamente vacío. Los empleados están encerrados en sus casillas rodantes. Improbable que alguno pueda pegar un ojo.

Los dos oficiales caminan por el pasto estropeado como el pelo del viejo pony atado entre los quioscos de lata. ¿Dormirán parados los ponis igual que los caballos?

Vuelven al sitio donde Marciano Miranda y el Pájaro Tamai cayeron para morirse rápido, tal y como vivieron.

Bajo la luz blanca del amanecer, las manchas pardas de barro y sangre.

Rebolledo prende un cigarrillo y pita. Se siente vencido.

–¿Cuánto hace que no vamos a pescar? –dice, aclarándose la garganta y escupiendo a un lado.

—Con la seca que hay este verano... —dice su compañero moviendo la cabeza.

—Tenemos que ir a otro lado, donde haya agua...

—Va a haber que ir bastante lejos...

—Qué importa. Total, para lo que hay que hacer acá.

Mamani asiente.

Rebolledo pasea una última vez la vista por el lugar. Los cuerpos de los changos ya no están, pero como si los viera.

—¡Qué desperdicio, mierda! —dice y entierra la colilla de un pisotón.

ensayo ∿

ficción 〰〰

OTROS TÍTULOS